小学館文庫

浅草ばけもの甘味祓い

〜兼業陰陽師だけれど、鬼上司が記憶喪失に!?〜

江本マシメサ

小学館

目次

序章

陰陽師の職場には、鬼と桃太郎がいて不仲な件

（※ただし、表面上は和やかに仕事をする）

私、永野遥香は、代々陰陽師を生業とする一族の生まれだ。

昼間は会社員をしつつ、夜は浅草の町で悪さをする怪異を祓っている。

浅草の平和のために、日々頑張っていた。

正直、会社員と陰陽師の両立は辛いものがある。一日の仕事を終えて、それから町へと繰り出し、陰陽師としての役割を果たさなければならないから。

ちなみに、現代における陰陽師業は完全なボランティアだ。

その昔――明治時代辺りまでは『陰陽寮』と呼ばれる役所が存在し、陰陽師は国家公務員のようなものだった。この辺りはマンガや映画の設定だと思っている人も多いが、陰陽寮は実際に存在していたのである。そんな陰陽寮も、明治三年に廃止となった。

千年以上続いていた陰陽師の社会的地位は、失われてしまったのである。それからというもの、かつて陰陽師を名乗って家業にしていた者達は次々と廃業の道を辿る。

強力な怪異を消滅させた貴重な術も、継承者がいないために失われていった。

そんな状況の中、実家である永野家は陰陽師を続ける稀有な一族のひとつであった。というのも、かつて御上より命じられた「浅草の地を頼む」という言葉を、今でも守っているのだ。父は会社での出世を諦めつつ陰陽師をしているし、母もスーパーのパートと主婦業と陰陽師の三足のわらじを履いて日々怪異を祓っている。

私も一族の務めだと自分に言い聞かせ、残業後も疲れた体を引きずって怪異を祓っていた。ただ、私は怪異退治においての才能はからっきしであった。

父から習った呪術を放っても、怪異を祓うに至らず。本気で祓うつもりがないのだろうと叱責される始末。

父が怒るのも無理はなかった。私は怪異のすべてが悪だとは思っていなかったから。

子どもの頃、迷子になったところを怪異に助けられた記憶が残っている。

感謝の気持ちとしてお菓子をあげたら、怪異の邪気だけがなくなったという出来事があったのだ。以降、私は怪異を問答無用で祓うことに違和感を抱き、それゆえに上手く退治できていなかった。

人間に善い人と悪い人がいるように、怪異にも善い存在と悪い存在がいるのだろう。

怪異を悪だと決めつけたくない。問答無用で祓ってしまうなんて酷い、という考えが根付いていた。

ただ、千年前に比べて陰陽師の能力はガクッと落ちている。そのため、怪異が強力になる前に祓ってしまおうという考えになるのも無理はない。

安倍晴明みたいな災害級の怪異に対抗できる陰陽師は、現代日本に存在しないから。

けれど私は、どうしてか怪異を無差別に退治しようとは思わなかったのだ。

陰陽師としての成果を上げなければ、両親が悪く言われてしまう。どうにかしなければ。そこで思いついたのは、『甘味祓い』。

甘味祓いとはお菓子に邪気祓いの呪術を込めて、そのお菓子を怪異に食べさせることによって、怪異の邪気だけを祓うというもの。

おそらく怪異は、邪気を溜めた結果として悪さを働く。邪気さえなければ、怪異は人にとって無害なのだ。

試行錯誤の結果、見事、怪異の邪気のみ祓う甘味祓いを完成させた。

朝から夕方まで会社員として働き、夜は陰陽師として邪気を溜め込んだ怪異を対象に甘味祓いを行う。

ヘトヘトになりながらも、なんとか両立させていた。

そんな中、私に災難が降りかかる。

この春、京都支社から新しく係長となる男性が異動してきた。

長谷川正臣（はせがわまさおみ）――彼は物語の中から飛び出してきたような八頭身の体軀（たいく）に、整った輪郭と切れ長の目、スッと通った鼻筋、弧を描いた形のよい唇という、完璧ともいえる姿形をしていた。

まさに、絶世のイケメンであったのだ。

彼との出会いは、鮮明に覚えている。朝礼の場で、木下（きのした）課長が長谷川係長を紹介したのだ。

皆、木下課長の話なんて耳に届いていなかった。

誰もがうっとりと長谷川係長を見つめ、ため息を吐く中、私だけ「うっ!!」と苦しみを覚えて胸を押さえる。

これは、一目惚（ひとめぼ）れした瞬間に感じる動悸（どうき）ではない。

警戒心から起こるものであった。

何を隠そう、長谷川係長は京都からやってきた大鬼だったのだ。

陰陽師だとバレたら死ぬ。一家総出でも勝てないような、絶対的な強さを持つ存在である。盛大なデッドエンドが脳裏を過った。

しばらく戦々恐々とし、大人しく過ごしていたが、あっさり陰陽師であることがバレてしまった。

私みたいなへっぽこ陰陽師なんて、一瞬で倒されてしまうだろう。そう思っていたのに、彼は思っていたような鬼ではなかった。

なんでも、長谷川家は平安時代に鬼と交わった陰陽師一家だったらしい。

代々鬼の血は薄くなっていったが、先祖返りといえばいいのか、長谷川係長は大きな鬼の力を持って生まれてきたのだという。

長谷川係長は私のへっぽこ陰陽師っぷりに呆(あき)れていたものの、最終的に手を差し伸べてくれた。

ただし、それは助け合いの手ではない。

お互い陰陽師と鬼であることは周囲に隠して、ひとまず手を組もうというものだった。仲間ではなく、利害の一致というわけである。

それから長谷川係長と私は手を組み、浅草の町を守ることになった。

そんな中、私自身に変化が訪れる。同じ夢を何度もみるようになったのだ。

時は平安、病弱な『はせの姫』と、最強の大鬼『月光の君』がささやかな交流の末に想(おも)いを通わせるという夢。

最後に鬼退治を得意とする桃太郎が現れて、はせの姫は倒れる——ここから先がどうなるかは、まったく覚えていない。

朝目覚めるとほとんど忘れてしまうという、なんとも不思議な夢であった。

繰り返しみる、あの夢はいったいなんなのか。

疑問に思っている中、思いがけない事態が起こる。

夢に登場する桃太郎とそっくりな人物が、新人として配属されてきたのだ。

アイドルグループにいそうな、ぱっちりとした瞳に人懐っこそうな笑顔が特徴の青年、桃谷絢太郎（ももたにあやたろう）。

なぜか私は、はせの姫や月光の君の姿形の記憶はないのに、桃太郎の顔だけは鮮明に覚えていたのだ。

そしてあろうことか、私は桃谷君の教育係となってしまった。

桃太郎か否か、確認する術（すべ）もなく。

夢の中に出てくる桃太郎が、桃谷君そっくりだなんて話せるわけがない。

疑問を抱いたまま教育していたのだが、どういうわけか桃谷君に好かれてしまう。

でも、その時すでに私の心には想い人がいた。長谷川係長である。

行動を共にしているうちに、いつしか好意を抱いてしまったのだ。

好きな人がいるから、桃谷君の想いには応えられない。

はっきり交際をお断りしたまではよかったが、私の中にあるとんでもない記憶が甦った。

それは、夢にみていたはせの姫の生まれ変わりが私で、月光の君の生まれ変わりが長谷川係長だということ。

さらに、はせの姫の血で真っ赤になる月光の君の姿を思い出す。はせの姫は月光の君に殺されたのだ。

その理由を、桃太郎の生まれ変わりだという桃谷君が教えてくれた。長谷川家の陰陽師に弟を傷つけられた月光の君が、復讐心を持ってはせの姫へ近づいたのだと。その場に居合わせた桃太郎の記憶を持つ桃谷君が言うのだから、間違いではないのだろう。

そして、前世から千年経ち——時を超えて生まれ変わった姿で、私と長谷川係長は再会した。

どういうつもりで、長谷川係長は私に接近したのか。

長谷川係長に前世の記憶があるかは、わからない。

けれど、千年前に共に在った相手と偶然再会するなんてことがあるのだろうか。

まだ復讐心が消えずに私に近づいたとしたら、ゾッとしてしまう。

長谷川係長は私に対して優しいけれど、裏があるのではないか。そんなふうに考えると、恐ろしくてたまらなくなった。

私はついに、態度に出して長谷川係長を拒絶してしまった。

おまけに、桃谷君が再度私に告白してきたところを目撃されてしまう。

それがよくなかったのだろう、長谷川係長の邪気が最大限にまで跳ね上がり、姿が鬼と化してしまった。

桃谷君は鬼殺しの刀を以て応戦したものの、歯が立たなかった。

桃太郎の生まれ変わりであっても、大鬼には勝てなかったのだ。

恐ろしくて恐ろしくてたまらなかったが、元を辿れば悪いのは私だ。

過去に囚われ、長谷川係長を怖がってしまったから。

はせの姫の生まれ変わりではあるものの、私ははせの姫とはまったくの別人だ。

長谷川係長は――どうだかわからない。

けれど、私は長谷川係長と接するうちに惹かれ、好きになった。

怖がってしまったものの、相手の前世がどうであれ、その気持ちは変わらない。

鬼と化した長谷川係長の鋭い爪が迫った時、私は想いを伝えた。

長谷川係長は、涙を流していた。私は彼の震える体を、ぎゅっと抱きしめる。

鬼の姿は、元に戻った。

ちなみに、鬼の長谷川係長に敗北した桃谷君であったが、私のことを諦めていないらしい。

何もなかったかのように、長谷川係長と話している。その辺は、さすが桃太郎の生まれ変わりとしか言いようがない。

そんな感じで、私の職場には大鬼と桃太郎の生まれ変わりがいる状態となってしまった。

どうしてこうなったのだと、頭を抱える毎日である。

第一章

陰陽師に結婚を前提とした彼氏ができる

（※ただし、お相手は鬼上司）

まだ、太陽も顔を出さない時間帯——。

『遥香さん！　遥香さん！』

ペチペチと頬を叩かれながら、名前を呼ばれる。

意識が覚醒しつつあったが、まだ起きたくない。起きる時間ではないと、もごもご言葉を返す。

『アラームが、鳴っていましてよ！』

「あらーむ？」

確かに、スマホからけたたましい音楽が鳴っていた。

何か予定があったか。しばし考えて——ハッとなる。

今日は朝から、長谷川係長と浅草の町を見回りに行く約束をしていたのだ。

意識が一瞬で覚醒する。

「わあ!!」

勢いよく起き上がると、甲高い悲鳴が聞こえた。

『きゃ────!!』

私の胸をコロコロ転がっていくものを、両手でキャッチする。

ふわふわ、もこもこの塊が、手のひらの中でもぞもぞ動いた。

このふわふわ感とぬくもりには覚えがある。だがしかし、私が知っている存在(もの)とは大きさが異なっていた。

「ジョージ・ハンクス七世──ではない?」

『違いますわ!!』

落ち着いた、女性の声である。スマホで照らすと、白く美しい毛並みが確認できた。

「あ、あなたはもしかして、エリザベス・ハンクス二世!?」

『ええ、そう!』

私の手のひらの上でしなりと立ち、胸を張るハムスターはエリザベス・ハンクス二世。首に巻いたリボンがオシャレな、式神である。

ジョージ・ハンクス七世よりもかなり小さい。真っ白な毛並みが美しく、ロボロフスキーハムスターの姿に似ている。

たしか彼女は、義彦(よしひこ)叔父さんと契約している式神ハムスターだったような。

「え?　っていうか、どうやってここまで来たの?」

『昨日、あなたが宅配便を受け取るタイミングで、家に忍び込みましたの』

「嘘……ぜんぜん気づかなかった」

気配遮断が得意な隠密系式神ハムスターのようで、私はおろかジョージ・ハンクス七世も気づいていなかった。

彼女は八十年以上、永野家に仕えている古参の式神である。義彦叔父さんが曾祖父から受け継いだのが、エリザベス・ハンクス二世なのだ。

式神ハムスターの中でも強い力を持ち、どんな怪異も恐れずに戦うという。

永野家の集まりにはなかなか姿を見せないが、義彦叔父さんから写真を見せてもらったことがあるのだ。

「えっと、なんとお呼びすればいいのか」

『マダム・エリザベスで構いませんわ』

「りょ、了解です」

ひとまず姿勢を正し、正座をして質問を投げかける。

「その、マダム・エリザベスはなぜここに？」

『義彦さんの部屋があまりにも汚いので、避難してきましたのよ』

「あ、そうだったんだ」

義彦叔父さんの勤め先はアニメ制作会社である。なんでも、人気漫画のアニメ化に伴い、制作進行を務めることになったらしい。そのため、朝から晩まで働き、帰宅してもいろいろと作業をしているようだ。

『生ゴミも捨てずに放置されていて、わたくし、もう我慢ができなくって！』

「それは、大変だったね」

きちんと会うのは初めてなので、ここで挨拶をする。

「あ、申し遅れました。私は次男忠史(ただし)の娘、遥香です」

『よろしくお願いいたします。とはいっても、遥香さんとわたくしは、今日がはじめましてではありませんが』

なんでも、マダム・エリザベスとは幼いころに会っていたようだ。当時の私は赤ちゃんだったらしいので、当然ながら記憶はない。

『それにしても、ここは織莉子(ゆりこ)さんの家だと思ってやってきたから、驚きましたわ』

「いろいろと、事情がありまして」

織莉子は父の妹であり、私の叔母でもある。

永野家一の実力派陰陽師で、普段はオカルト系の番組に出演したり、ドラマに出たりと、マルチな活動をしているタレントだ。

海外での人気もかなりあって、日本にいないことも多い。

陰陽師であることを知らない彼女の夫がマネージャーになったことから、海外にいる間、叔母の式神ハムスターであるミスター・トムを我が家で預かったのも記憶に新しい。

つい先日、ミスター・トムは叔母が引き取っていった。家の中が一気に寂しくなっていたのだ。

『織莉子さんはどこに？』

「今、旦那さんとの家にいるの。ここには、一ヶ月に一回来るか、来ないかで。私が管理を任されているんだ」

『そうでしたのね。あなたが使役しているのはどの子ですの？』

「ジョージ・ハンクス七世です」

『ああ、あのやんちゃっ子！　噂には聞いていますわ』

どうやら、ジョージ・ハンクス七世を知っているらしい。

ミスター・トムが帰ってしまい、ジョージ・ハンクス七世は寂しそうにしていた。

マダム・エリザベスがやってきたと知ったら、喜ぶだろう。

『そういえばあなた、アラームをかけていたようだけれど、何か用事があるのではなくって？』

「あ、そうだった！」

あと十五分で長谷川係長との約束の時間だ。慌てて準備を始めた。

マダム・エリザベスは私の肩に跳び乗り、洗面所まで付いてきた。

何をするのかと思いきや――私が歯ブラシを手に取ると歯磨き粉のチューブを搾ってくれた。どうやら、朝の準備を手伝ってくれるらしい。

『こんな早朝から身なりを整えるなんて、デートですの？』

「ち、違うよ」

怪異が悪さをしないか見回りに行くのだと言うと、驚かれた。

『早起きして見回りをしているなんて、感心ですわ！　弟子にばかり見回りをさせている、本家の古狸(ふるだぬき)共にも見習っていただきたい』

「ふ、古狸……！」

早朝の活動は週に一度行っている。

怪異の活動は日が昇っていない時間に活発になるのだが、夜より明け方のほうが治安もいいのではないかと思ったのだ。

だが、長谷川係長から、早朝も終電に乗りそびれた酔っ払いがいるので危険だと忠告された。

長谷川係長は物中すだけでなく、朝の見回りに同行してくれることになったのだ。

その上、義彦叔父さんが怪異専用の自動給餌器を作ってくれたこともあり、夜間の見回りはぐっと減った。

ただ、油断できない事件は続いている。

殺人事件が起きたし、怪異が取り憑いた人に襲われたこともあった。

これは、私の担当地域の怪異が悪さをしたのではなく、余所からやってきた怪異による事件だ。

基本的に、怪異は自分の縄張りでのみ力を発揮する。

地域に居着くことによって邪気を効率よく溜められる一方、一歩縄張りの外に出ると力のほとんどを失ってしまうのだ。

しかし、地域を移動して尚、強力な力を持つ怪異がいる。

それらは、どこからやってきたのか。いまだ、解明されていない。

ひとまず、私ができるのは担当地域の怪異を祓うことだけ。

頑張らなければ。

『でも、女の子の一人歩きは危険なのでは？　怪異よりも、変質者の存在が気になりますわ』

「大丈夫。お隣さんに同行してもらっているの」

『お隣さん？』

「うん。会社の上司で、長谷川さんっていうんだけれど」

『長谷川って、もしかして京都の長谷川家？』

「あ、うん。今、陰陽師業はしていないんだけれど、いろいろ知識や技術は継承しているみたいで」

『あらあら、そうでしたの！　騎士（ナイト）がいるならば、問題ありませんね』

「騎士……まあ、そうだね」

箪笥（たんす）から引っ張り出したのは、地味なジャージ。早朝の見回りなので、オシャレして歩き回るとかえって不審者扱いされてしまう。

ジャージを着ていたら朝のお散歩だと思われるので、あえて選んでいたのだ。

その考えに長谷川係長も賛同し、同じくジャージ姿に付き合ってくれている。

なんていうか、長谷川係長はジャージを着ていてもカッコイイから本当にずるい。

季節はすっかり秋である。

朝は冷え込むので、ジャージの下に保温性に優れた下着を着た。

『遥香さん、なんですの、その装いは』

「これは、朝の見回りの正装、かな」

『せっかく騎士がいるのに、地味な恰好をするなんて！　もっと素敵なドレスを持っていませんの？』

「いや、この時間帯にオシャレしたら、警察に職務質問されるかもしれないし」

『世知辛い世の中ですのね』

「まったくです」

ジャージ姿に化粧バッチリなのもおかしいので、薄化粧にしておく。

髪型も気合いを入れるのはどうかと思うので、ポニーテールにしておいた。

好きな人に会うのに、この垢抜けない恰好はどうなのか。

別にデートではないので、諦めるしかなかった。

『遥香さん！　口元だけでも、華やかにしたらいかが？』

「う……まあ、口元だけなら」

色のないリップを塗っていたが、ほんのり桜色になるリップに塗り替えた。

「マダム・エリザベス、これでいい？」

『全体を見たらまったくよくはないのですが、まあ、よしとします』

「よかった」

ジョージ・ハンクス七世が眠るケージを覗き込む。マダム・エリザベスが来訪しているとは知らずに、スヤスヤと眠っていた。

声をかけたほうがいいのか悪いのか。気持ちよさそうに眠っているので、そのままにしておいた。

マダム・エリザベスにはハムスター用の乾燥パンと水を献上し、お留守番を頼む。

「じゃあ、行ってくるね。八時前には戻ると思うけれど」

『ええ、わかりましたわ。行ってらっしゃいまし』

マダム・エリザベスは品よくパンを食べ、優雅に水を飲んでいる。背後にパリのオシャレなカフェが見えたのは、気のせいだろう。

約束の時間の一分前に外に出ると、すぐに声がかかった。

「永野さん、おはよう」

「お、おはようございます！」

長谷川係長が扉に寄りかかり、腕組みした姿でさわやかに挨拶してくる。

ジャージ姿なのに、今日もカッコイイ。眩しくって、「ウッ！」と唸りつつ目を細めてしまった。

「じゃあ、行こうか」

「はい」

長谷川係長のあとに続く。

つい先月、鬼化した長谷川係長であったが、特に後遺症もないようだ。

相変わらず、桃谷君のことは気に食わないようで、私に対しても「桃谷とは仕事関係以外で話さなくてもいいから」などと牽制してくる。

だが、一緒のフロアで働く以上、まったく喋らないというのは難しい。仕事に関係のない会話も、時には必要なのだ。

前世が鬼と桃太郎なので、ふたりが仲良くするのは難しいのだろうが……。

「そういえば昨日、永野さんの部屋に何か式神が来ていたようだけれど？」

「あ、気づいていらしたのですね」

「うん。けっこう強力な式神みたいだったから」

「さすがです」

私は朝になるまで気づいていなかったと白状すると、呆れたような視線を向けられた。それに対し、返す言葉はまったく思いつかない。

「なんか、契約している叔父と仲違いしたみたいで、私のところに避難してきたようなんです」

「本当に、そうなのかな？　最近おかしな事件が続くから、やってきたのかもしれないよ」

「あ、かもしれないですね」

長谷川係長の言うとおりである。マダム・エリザベスほどの式神が、汚部屋に我慢できないくらいでやってくるわけがない。

「まったく、そんな話をあっさり信じていたなんて」

「すみません」

「まあ、三歳児並みに純粋なところが、永野さんのいいところなんだろうけれど」

「うう……褒められている気がぜんぜんしない」

「褒めてないからね」

朝から鬼要素をちらつかせてくる。よくよく確認したら、長谷川係長からわずかに邪気が漂っていた。かなり薄いので、目を凝らさないと見えないのだが。

エレベーターに乗るのと同時に、長谷川係長の手をぎゅっと握った。

なんでも私には癒しの力があり、おまけに直接触れると邪気を祓えるようだ。

その昔、永野家の陰陽師は癒しの力が使えたらしい。そのおかげで、重宝されていた時代があったのだとか。

今は力も薄れて、おそらく一族の中で癒しの能力を使えるのは私だけなのだ。

これについては、長谷川係長と私だけの秘密なのである。

いきなり手を繋いだからか、長谷川係長はギョッとして私を見下ろす。

「え、何?」

「僅かに邪気を発していたので、心配になって」

「あ、そうだったんだ。無意識だった」

会社にいるときの長谷川係長は、さまざまな人の邪気を吸収して鬼寄りの存在になってしまう。家ではリラックスできているので大丈夫だと話していたが、昨日の邪気を溜め込んでいたのだろうか。

「何かあったんですか?」

「いや、昨日、永野さんのところに強い式神がやってきたから、何か問題でもあったんじゃないかって心配して」

「そ、そうだったのですね」

邪気を発してしまうほど心配してくれるなんて……。

気持ちはありがたいけれど、それで長谷川係長が苦しむことになるのは嫌だ。

「そうやって邪気を溜めずに、何か気になることがあったら連絡してくださいね」

「迷惑じゃないの？」

「ぜんぜん迷惑じゃないです」

「そうか。ありがとう」

長谷川係長は繋いだ手をぎゅっと握り返す。なんだか照れてしまい、エレベーターが到着したのと同時に手を引き抜いた。

途端に、長谷川係長はムッとした表情となる。慌てて言い訳を口にした。

「あの、ほら。うっかり桃谷君に会ったら大変ですし」

私達が一緒にいるところに、ひょっこり桃谷君が現れることが多々あった。油断はできないのである。

うちの会社は同じ課の社員同士の交際をよしとしない。過去に勤務時間中にいちゃついていたカップルがいたから、らしい。

今では、同じ課の者と恋愛すると社内評価が悪くなると言われるほどであった。長谷川係長は期待されている、我が社のホープである。私との交際を疑われて、出世に影響を及ぼすなんてあってはならない。

「別に、出世なんて心底どうでもいいけれど」

「ん？　何かおっしゃいましたか？」

「なんでもない」

長谷川係長はむくれたまま、先へと進んだ。

ただ、自分の速度でサクサク歩くわけではなく、私の歩くスピードに合わせてくれるところが優しい。

こういうところが、たまらなく好きなのだ。

日の出前の町は、早朝なのに真夜中みたいだ。まだ、太陽が昇る気配はない。

真っ暗闇の中を進んでいく。

今日も特に異変はない。怪異達は大人しく過ごしているようだ。

怪異専用の自動給餌器の中も確認する。中身はほとんど空になっていた。

順調に消費してくれているようで、ホッと胸をなで下ろす。

新しく作ったのは、卵ボーロだ。給餌器に補充しておく。

何ヶ所か回っていくうちに、日の出の時間となった。

「長谷川さん、今日もお付き合いありがとうございました」

「気にしないで。朝のいい運動になったから」

会話をしているうちに、この間から通うようになったパン屋さんの前にたどり着く。

焼きたてパンのいい匂いが辺りに漂っていた。

「長谷川さん、ここのパン、おいしいんですよ。朝食に買いましょう」

「そうだね」

人気のパン屋さんで、十時を過ぎるころには完売してしまうのだ。開店前だというのに、五人ほど並んでいた。最後尾に並んで開店を待つ。

五分も待たずにオープンした。

店内はそこまで広くないが、パンの種類は豊富だ。ザッと、三十種類以上はあるだろうか。

来るたびに、新商品が並んでいるような気がする。

まずは、メロンパンから確保する。お店の人気ナンバーワンで、つい先日来たときは売り切れだったのだ。他のお客さんも、メロンパンをいくつも買っている。あっという間に、並んでいるメロンパンはなくなった。

最初の判断を誤ったら買えないところだった。危ない、危ない。

続いて目に付いたのは、秋限定のマロンデニッシュ。値段も確認せずにトレイに載せた。

他に、名物のあんパンにクリームパン、バゲットを購入した。

大袋を抱える私を見て、長谷川係長は「大家族なの？」と問いかけてくる。冷凍保存しているのだと答えると、「その手があったんだ」と感心しているようだった。

パンは焼きたてホカホカ。太陽が昇ってなお肌寒いので、パンで暖を取る。

「永野さん、せっかくだから、その辺の公園でパンを食べない？」

「ぜひ!!」

自販機で温かい紅茶を買い、ベンチでパンをいただく。

公園の木々はすっかり紅葉していた。美しい景色を見ながら、焼きたてパンを好きな人と食べるなんて、最高に幸せだろう。

さっそく手に取ったのは、マロンデニッシュ。これは焼きたてではなかったが、頭の中は今が旬の栗(くり)でいっぱいだったのだ。

メロンパンもおいしいが、秋の公園では旬のものを味わいたい。さっそくいただく。

パンの生地は甘くてサックサク。栗の甘露煮はしっとりしていておいしい。

甘いマロンデニッシュと、温かい無糖の紅茶がよく合う。

長谷川係長はあんパンを食べ、片手には缶コーヒーを握っていた。

「いかがですか？」

「たしかにおいしい」

「ですよねえ」

まさか長谷川係長と朝食をご一緒できるなんて、夢にも思っていなかった。

幸せな気分を噛(か)みしめる。

ふたつ目のメロンパンも食べられそうだ。ガサゴソと袋を探り、メロンパンを手に取る。まだ温かくて、ホッコリした気分になった。

長谷川係長がこちらを見たので、メロンパンを半分に割って差し出す。

メロンパンは特においしいので、味わってほしい。

「永野さん」

「はい？」

「結婚を前提に、付き合ってほしいんだけれど」

「は⁉」

信じがたい言葉が聞こえた。

からかっているのかと思いきや、至極真面目な表情だった。

「あの、結婚を前提に付き合ってほしいと聞こえたのですが⁉」

「言ったよ」

「いや、なんで今⁉」

なんで今？　今？　今……？

と、誰もいない公園に声が響き渡ったような気がした。メロンパンを差し出したまま、呆然（ぼうぜん）としてしまう。

長谷川係長はメロンパンを受け取り、モソモソと食べ始めた。

本気か？　本気なのか？

混乱状態となり、なんと言葉を返していいものかわからなくなってしまう。

結婚を前提に、お付き合いしてほしいですって？

きちんと目の前で宣言されたのにもかかわらず、我が耳を疑ってしまう。

先ほどの発言の議事録をください……なんて言ったら、怒られるだろうか。

それくらい、私にとって信じられないようなたいそうな発言だったのだ。

真夏でもないのに、全身にじんわりと汗をかいているような気がした。

とにかく、体が熱い。

人という生き物は、発言ひとつでここまで汗をかけるんだな、とどこか他人（ひと）ごとのように感心してしまう。

汗もただならないが、動悸もちょっとすごい。

少し、落ち着く必要があるだろう。

「永野さん？」

「ひ、ひゃい！　な、なんでしょう？」

「いや、メロンパン、食べないのかと思って」

「食べます、食べます」

長谷川係長に続き、メロンパンを齧（かじ）った。

このような状況では、メロンパンの味もよくわからない。

「永野さんって、夜景がきれいなレストランとかで告白されたいタイプだったの？」

「そういう願望はないのですが、突然すぎて驚いただけです。改めて聞きますが、どうしてこのタイミングだったのですか？」

「大事なメロンパンを半分も分けてくれたから」

「そ、そんな理由だったのですか!?」

交際の決め手はメロンパンの譲渡だったようだ。思い立つタイミングが独特すぎる。

思わず、頭を抱え込んだ。

「永野さん、店に入った瞬間、真っ先にメロンパンを取りに行ったから、よほど好きなんだなって思っていたんだ。そんなメロンパンを、半分もくれるなんて優しい人だと思って」

「いや、メロンパン、好きですけれど」

好きだからこそ、長谷川係長にも食べてほしかったのだ。それを伝えると、長谷川係長は片方の手で目元を押さえる。

「俺だって、こんな朝っぱらから言うことは想定してなかった。でも、今言わないと、誰かに盗(と)られてしまいそうで」

ジャージ姿でメロンパンを差し出す女に交際を申し込もうと思うのは、世界で長谷川係長ただひとりだろう。自信を持って言える。

「でも、やっぱりタイミングは間違っていなかった」

「せめてジャージじゃないときにしてくださいよ」

「じゃあ、スーツ着てやり直すから」

「やり直さなくていいです」

ぴしゃりと言ってしまったからか、シーンと静まり返る。長谷川係長は目元を押さえていた指の隙間を広げ、私をジロリと睨(にら)んだ。怖いので止(や)めてほしい。

「永野さんって、残酷だよね。俺、あまり朝は強くないんだけれど、こうして付き合っているのにさ。昨晩だって、心配であまり眠れなかったのに」

「なんの話ですか？」

「交際を断るなんて、酷いという話」

「ち、違います」

「何が違うの？」

にっこりと、圧のある笑顔で問いかけてくる。

正直、結婚を前提に交際を申し込まれるなんて想像もしていなかった。

私みたいなどこにでもいるような女を、イケメンで仕事もできて、性格はちょっといじわるだけれど根は真面目な長谷川係長が本気で好きになるわけがないと思っていたから。けれど、長谷川係長は私を選んでくれた。それはとてつもなく光栄で、喜ばしいことだろう。

きっとこの先、私をこれほどまでに好いてくれる男性はいない。

でもでも、交際を迷う気持ちは……正直ある。

だって相手は最強の鬼。

もしも、前回桃谷君を襲ったときのように暴走したら、私は止め切れるのだろうか？

恥ずかしながら、私は陰陽師として未熟だ。絶対に大丈夫、と言い切れないのが悲しい。

けれども、私と長谷川係長はこれまで何度も、力を合わせて困難を乗り越えてきた。それに、運はいいほうだと思っている。たぶんだけれど、心配するようなことは起きない。たぶん。

私は陰陽師としては未熟だが、他人よりも前向きな性格なのだ。

だからこれからも、きっと大丈夫。

完全に不安がないわけではない。けれども、将来を悲観するより、手と手を取り合って幸せを探求したほうがいい。

視線を感じたので、長谷川係長をまっすぐ見る。交際を申し込んだ女性に向けるものとは思えない鋭い目だった。

鬼だ。鬼がいる。

おそらく、告白をやり直さなくてもいい、という言葉を誤解しているのだろう。

慌てて、弁解する。

「あの、改めて交際申請をしなくていいというのは、お断りしたいというわけではなく、その、なんと言いますが、ふつつか者ですが、どうぞよろしくお願いします」

長谷川係長は手にしていた缶コーヒーを落としてしまった。中は空だったようで、ころころ転がっていく。

恥ずかしいので、私も缶コーヒーと一緒に転がっていきたくなる。

シーン、と静まり返った。

長谷川係長は、どうやら缶コーヒーを落としたことにも気づいていないらしい。拾い上げて、パンが入っていた袋の中に入れておく。

「永野さん、今、なんて言った?」

「議事録、提出しましょうか?」

「え?」

「すみません、なんでもないです」

どうやら、長谷川係長は先ほどの私と同じ状態になっているらしい。

気持ちはおおいに分かる。

恥ずかしいが、仕方がない。もう一度、言葉を返した。

「先ほど長谷川さんから申し入れがあった結婚を前提にしたお付き合いについて、お受けしますと、その、言ったのです」

長谷川係長は、完全に固まっていた。

ひゅうと、冷たい風が吹いていても微動だにしないまま。

私も、つられて固まってしまう。

チュンチュン、カーカー、チチチチチと、野鳥の鳴き声だけが聞こえていた。

東京といえども、野生動物はたくさん生息しているのだ。

……なんて、現実逃避をしている場合ではなかった。

固まっている長谷川係長に、声をかける。

「あの、返事、聞いていましたか？」

「聞いていた。けれどなんで、受け入れたの？」

「なんでそんなこと聞くんですか？」

「だって、今までいろいろ言っても、永野さんってばスルーしてきたでしょう？」

「スルーしたのではなく、冗談かと思っていたんです」

「冗談……」

あまり覚えがないけれど、長谷川係長は私が気づかないところで交際を申し込んでいたのかもしれない。だから、話を受け入れた途端にこのような疑心暗鬼な状態になっているのだ。

こうなったら、本心を伝えるしかないだろう。半ば自棄(やけ)になりながら、気持ちを口にする。

「そ、その、私は長谷川さんには、釣り合わないと思っていたんです。ずっと好きだったのですが、心の中に秘めておこうって、決めていたんですよ」

今回、構えるような状況でないときに告白されてしまい、心が揺れ動いてしまった。

このような状況で、誰が愛の告白なんて予想できるだろうか。

一度、落ち着け、落ち着けと胸に手を当てて、深呼吸する。

吸って、吐いて、吸って、吐いて。

ダメだ。ぜんぜん落ち着かない。

この話はいったん持ち帰っていいかと、聞きたくなる。

が、長谷川係長のほうを見ると、とてつもない目力でこちらを見ていた。

これは、逃げられないやつだろう。

仕方がないので、しどろもどろに言葉を返した。

「なんと言いますか、こんなジャージ姿でメロンパンを食べている女でもいいんだって思ったら、お付き合いしてもいいんじゃないかって」

「永野さん……」

まっすぐ長谷川係長を見て、心の内を伝える。

「長谷川さんのことが好きなんです。こんな私でよかったら、結婚を前提でなくてもいいので、お付き合いしてください」

「ありがとう。本当に、嬉(うれ)しい……！」

長谷川係長は安堵(あんど)の滲(にじ)んだ笑みを浮かべ、私が差しだした手を握ってくれた。

とても、温かい手だった。

ただ触れ合っているだけなのに、呼吸困難で苦しくなる。

本当にお付き合いなんてできるのだろうか。正直、自信がない。

数日経ったら、このやりとりは夢だったのではと思う可能性だってある。

不安になったので、長谷川係長に相談を持ちかけた。

「あの、ひとつ、お願いがあるのですが」

「何？」

「今、話したことを、議事録にまとめて送ってもいいですか？」

「なんで？」

「ここで話したことが、現実にあったものなのか、ふとした瞬間に信じられなくなりそうで」

「だったらあとで、メールでも交際を申し込むから。本当に、信じて」

「申し訳ありません。ありがとうございます」

深く深く、頭を下げる。

そんなわけで、私と長谷川係長は交際することとなった。

「あ、でも、会社は大丈夫なんですか?」

「いや、個人のプライベートを制限するとか、時代錯誤もいいところだから。それに、バレたとしても、別に構わないし」

「社内評価が下がってしまいますよ」

「永野さんって、夫となる男には出世してほしいタイプなの?」

「え、いや、それは……!」

結婚後の話を振られて、どうしようもなく照れてしまう。まだ、結婚を申し込まれたわけではないのに。

「出世して忙しくなってあんまり家に帰らない夫より、出世しなくても、長い時間一緒に楽しく過ごせる夫のほうがいいです」

「よかった」

そう言って、長谷川係長は私をぎゅっと抱きしめる。

冷え切った体が、じんわり温かくなる。

これからどうなるのかまったく想像できないけれど、幸せだと思ってしまった。

フワフワした気持ちで帰宅したが、ジョージ・ハンクス七世の叫びを聞いてハッと現実に引き戻される。

『おい、お前、なんでここにいるんだよ！』

『お前、ですって!?』

慌ててリビングのほうに行くと、ニンジンスティックを剣のように構えるジョージ・ハンクス七世の姿があった。

「ジョージ・ハンクス七世、何をしているの？」

『おい、遥香！　なんでこいつがいるんだよ！』

「いや、こいつって……」

『遥香さん、この子は、口の利き方を知らないようですわ！』

「す、すみません」

マダム・エリザベスからしたら、ジョージ・ハンクス七世は若造だろう。

式神の序列はマダム・エリザベスのほうがずっと上だ。それなのに、ジョージ・ハンクス七世はこいつ呼びを止めない。

まあ、突然気配もなく、知らない式神がいたら驚くだろう。

それに、ジョージ・ハンクス七世は、この地域を守る式神としての誇りを持っている。だから余計に、他の式神の介入が面白くないのだろう。

ミスター・トムみたいに契約した主人から直接紹介があれば、ジョージ・ハンクス七世も受け入れただろうが……。

式神は縄張り意識が強い、なんて話も聞いたことがある。

これは完全に、私が悪かった。すぐに、彼女を紹介すべきだったのだ。

どうどうと仲裁しようとしたものの、どうやらふたりとも、戦闘態勢になってしまったようだ。

『こうなったら、実力でわからせるしかない、ということですね』

『受けて立つぞ！』

先に動いたのは、ジョージ・ハンクス七世である。ニンジンスティックを振り上げ、マダム・エリザベスに斬りかかった。

「え、うわ、ちょっと!!」

止めようと手を伸ばしたが、間に合わず。見ていられないと思い、ぎゅっと目を閉じた。けれども、想定していた悲鳴は別のものだった。

『うぎゃあああああ――!!』

ジョージ・ハンクス七世の叫びが響き渡る。

何があったのか。目を開くと、テーブルの上に倒れるジョージ・ハンクス七世と、彼が握っていたニンジンスティックを食べるマダム・エリザベスの姿があった。

『ふふ、わたくしに挑もうだなんて、未熟な証拠ですわ』

ジョージ・ハンクス七世は小さな声で、『く、くそー』と呟いていた。

『何か、汚い言葉が聞こえたのですが』

『……』

ぐぬぬと悔しそうにするジョージ・ハンクス七世をよしよしと撫でつつ、「仲良くね」と声をかけた。

それからというもの、ジョージ・ハンクス七世は打倒マダム・エリザベスを掲げ、トレーニングを始めたようだ。

マダム・エリザベスは優雅に水を飲みながら、『ふふ、青いですわね』なんて呟いている。

このところしょんぼりしていたジョージ・ハンクス七世が元気になったので、よしとしてもいいのか。

ジョージ・ハンクス七世が筋肉ムキムキのハムスターになったらどうしようかと、心配する昼下がりである。

ひとまず、叔父には連絡しておいた。

叔父はこれまでになく忙しいようで、部屋の掃除が行き届いていなかったらしい。

昨日の夜にマダム・エリザベスの置き手紙に気づき、急いで清掃業者に掃除を依頼したそうだ。

最後に、叔父は神妙な声で、「最近、治安が悪いから、気を付けるようにね」と言った。やはり、長谷川係長の言う通り、叔父は私の身を守るためにマダム・エリザベスを派遣してくれたのかもしれない。

しばらく、マダム・エリザベスはここにいるようだ。

また、わが家が賑やかになるだろう。

◇　◇　◇

長谷川係長との交際がスタートしたわけだが、私は顔に出やすいようなので注意し

ないといけない。特に、桃谷君の前にいるときは要注意だろう。

「永野先輩、おはようございます！」

　今日も朝から元気よく、桃谷君が挨拶してきた。平常心、平常心、平常心と呪文のように何度も繰り返す。

「あれ、永野先輩、なんか嬉しそうですね。彼氏でもできたんですかー？」

　大きな声で言うので、周囲の視線が集まった。目を見開いて驚く山田先輩と、目を細めて訝しげに見る杉山さんの視線が突き刺さる。

「ちょっと桃谷君、声が大きい！」

「もしかして、図星でしたか？」

「彼氏がどうとかこうとか、会社でする話ではないから。それよりも、昨日人事部に行くように言っておいたけれど、ちゃんと寄ったの？」

「あ、忘れていました。今から行ってきますね」

「行ってらっしゃい」

　なんとか話を逸らすことに成功したので、ホッと胸をなで下ろす。が、桃谷君が去った瞬間、杉山さんが接近してきた。

「永野先輩、彼氏できたんですか？」

杉山さんの追及は躱(かわ)せないだろう。正直に白状した。

「えーっとまあ、できたというか、なんというか」

「そうだったんですね。いつもと変化はなかったので、絶対桃谷の当てずっぽうだと思ったのですが」

どうやら、普段と変わらぬ様子はきちんと装えていたらしい。嬉しい気持ちが顔に出ているものだと思っていたので、若干悔しくなる。

しかし、桃谷君のせいで、彼氏ができたことが杉山さんにバレてしまった。

「相手は誰なんですか？　同じ会社の人？」

「それは内緒」

「えー、ここまで話しておいて言わないなんて酷いです」

「酷くないよ」

「何が酷いの？」

笑顔で会話に割って入ってきたのは、長谷川係長であった。ぎょぎょぎょと、言葉にできないくらい驚いてしまう。

「永野先輩に彼氏ができたんじゃないかって、桃谷が気づいたんです。でも、誰と付き合っているのか、教えてくれなくって」

「そうなんだ。永野さん、彼氏ができたんだね」

あんただよ、あんた!! なんて言葉は、ごくんと呑み込んだ。

どうして、そこまでしらを切れるのか。逆に、羨ましくなってしまう。

同じ課に所属する彼女ができたというのがバレたら大変なのは、平社員の私ではなく役職者である長谷川係長だ。

それなのに、杉山さんと一緒ににこにこしながら私をからかう余裕があるなんて。

鬼だ、確実に、本物の鬼である。

思わず涙目になっているであろう瞳を、キッと長谷川係長に向けた。

すると、一瞬だけ眉尻を下げて申し訳なさそうにする。

「なんて、プライベートなことは追及したらダメだよね」

「あ、言われてみればそうですね。永野先輩、すみませんでした」

長谷川係長のおかげで、追及は終わった。そこに、桃谷君が戻ってくる。

「あ、長谷川係長、おはよーございまっす!」

挨拶の仕方がチャラい。この一言に尽きる。よくも上司に「おはよーございまっす!」なんて言えるものだ。

長谷川係長は満面の笑みを浮かべて、挨拶を返していた。

「おはよう、桃谷君」

「あ、長谷川係長、永野先輩に彼氏できた話、聞きました?」

「桃谷君、ちょっと向こうで話をしようか。提出された書類について、聞きたいことがあってね」

長谷川係長は桃谷君の肩を、鷲(わし)のかぎ爪のようにガシッと摑(つか)んで去っていった。

一撃で仕留めてくれたので、心の中で感謝する。

「あの、永野先輩、私も桃谷みたいに、うざい感じでしたか?」

「そ、そんなことないよ」

「そんなことあるじゃないですか。今度から、気を付けます」

杉山さんはトボトボと、デスクに戻っていく。

ふと、山田先輩が大人しいのに気づいた。

「山田先輩、どうしたんですか?」

「いや、永野に彼氏ができたって聞いて、可愛(かわい)いひとり娘に彼氏を紹介されたような気持ちになってしまって」

「なんでですか……」

「一回、紹介してくれ。永野に相応(ふさわ)しい男か確認したい」

私の彼氏ですと、長谷川係長を紹介したら、山田先輩は白目を剝いて失神するかもしれない。

しかしながら結婚が決まったら、山田先輩にも紹介すべき時がやってくるだろう。私と長谷川係長の関係がそこまで至るかは、わからないが。

「山田先輩、仕事、しましょう」

「ああ、そうだな」

バタバタと忙しくしているうちに、あっという間に一日が終わった。

定時で上がり、帰りがけにスーパーに立ち寄る。

今日は長谷川係長と一緒に夕食を取る予定だ。サンマが食べたいというので、鮮魚コーナーでどれがいいか吟味する。

新鮮な魚の選び方は、母から習った。サンマの場合は口の先端が黄色いものを選ぶのがポイントらしい。水揚げから時間が経ったサンマは、口の先端が黄色から茶色に変わっていくようだ。

あとは、ふっくら身がついているものとか、体がピンと張ったものとか、新鮮なサンマを見分ける方法はいくつもある。

目の濁りについては、意見が分かれるらしい。目が血走っていても、黒くなっていても、おいしい魚はおいしい。水揚げするときに傷ついて、そうなる個体もいるのだと主張する人もいるようだ。

一方で、澄んだ目の魚が一番だと主張する人もいる。

だからサンマについては、口の先端の色合いで見分けよという知識が叩き込まれていた。

ひとまず、新鮮なサンマを確保。あとは、栗ご飯と味噌汁でも作ろうか。

生の栗を使って作る時間はないが、この前栗の水煮を作っておいたのだ。それを使おう。と、買い物していたら、桃谷君と鉢合わせする。

「あ、永野先輩も来ていたんですね」

「毎週月曜日は、ポイント二倍デーだから」

「ポイント、意外と貯まりますよね。バカにできないです」

「ねー」

桃谷君は今日、豚汁を作るらしい。野菜コーナーで豚汁用の野菜の水煮を発見したようだ。

「豚と、油揚げと、あと何を入れたらおいしいんですか？」

「私は、サツマイモを入れるかな」

「え、豚汁にサツマイモを入れるんですか!?」

「うん、おいしいよ」

この辺りの人達はサツマイモを豚汁に入れないが、叔母が九州に行ったときに食べたサツマイモ入りの豚汁が絶品だったと教えてくれたのだ。

「あれ、でもこの前俺に作ってくれた豚汁にはサツマイモは入ってなかったですよね?」

「うん、話を聞いたのは最近だから」

つい半月前くらいだったか、叔母からメールで情報が届いた。

私も最初は「豚汁にサツマイモっておいしいの?」と疑問だったが、作って食べてみたらおいしかったのだ。

「騙されたと思って、入れてみて」

「わかりました。挑戦してみます」

豚汁について話をしていたら、私も食べたくなってきた。桃谷君の真似をして、野菜の水煮を使って豚汁を作ろうか。

「永野先輩は、サンマなんですね」

「そう!　やっぱり旬のものは食べておきたいよねえ」

「ですねーって、二尾も食うんですか？」

「あ、これは……」

明後日（あさって）の方向を向いたが、桃谷君はすぐに勘づいたようだ。

「うわ、もしかして、長谷川係長と一緒にご夕食ですか」

「いや、まあ、そうなんだけれど」

どうしていちいち気づくのか。今日の朝だって、誰よりも早く私に彼氏ができたことに気づいた。

「っていうか桃谷君、どうして私に彼氏ができたって気づいたの？」

杉山さんにバレていなかったので、表情には出ていなかっただろう。それなのにどうして勘づいたのか。

「あー、それは、スズメが教えてくれたんですよ。長谷川係長が永野先輩に交際を申し込んでいる場に居合わせたみたいで」

「うわ、そうだったんだ」

桃太郎の生まれ変わりである桃谷君は、犬と鳥、猿に好かれる体質である。それだけではなく、会話もできたなんて。ちょっとした意思の疎通は可能らしい。

「それにしても、プライベートが筒抜けだったんだ……」

ふと、振り返ってみると、あの公園は野生の鳥が多かった。

ちょうど、長谷川係長から告白を受けているとき、チュンチュン、カーカー、チチチチと鳴いていたような。

「まあ、偶然ですよ。すべての鳥が教えてくれるわけじゃないし」

これから、大事な話をするときは屋内でしなければならない。どこに、桃谷君と懇意にしている犬や鳥、猿がいるかわからないし。

「お付き合いですかー。なんか、幸せそうですね」

「それは、まあ、ね」

付き合いたてのカップルは、幸せに決まっているだろう。

「でも永野先輩、いいんですか？」

「いいって何が？」

「長谷川係長、別に永野先輩が好きなわけじゃないでしょう？」

「どういう意味？」

「そのままの意味です。長谷川係長は永野先輩が好きなわけじゃなくって、前世で惚れ込んだはせの姫に好意を抱いている。そんな状態でお付き合いして、嬉しいもんなのかなって思って」

「なっ……」

「な？」

「なんで、そんないじわるを言うの？」

「いじわるじゃないですよー。事実です」

きっぱりと桃谷君は言い切った。

悔しいけれど、たしかにはっきり「違う」とは言えない。

もしも私がはせの姫の生まれ変わりではなかったら、興味も示さなかったかもしれない。

長谷川係長が私ではなく、前世のはせの姫を想って交際を申し込んだとしたら――

それはそれで複雑だ。

この辺で勘弁してくれたらいいのに、桃谷君は徹底的に私の心を折ってくれる。

「永野先輩、まさか長谷川係長が前世に関係なく好きになったと思っていたんですか？」

「それは……そうだけれど」

「大した自信ですね」

「桃谷君、喧嘩を売っているの？」

「いえいえ。彼氏ができて浮かれているご様子だったので、釘を刺したまでです」

温厚な私でも、桃谷君の物言いには腹を立ててしまう。

ただここまで癇にさわるのは、どこかで長谷川係長の気持ちをわかっていて、気づかないふりをしていたからだろう。

はっきり本人に聞いたわけではないけれど、おそらく長谷川係長には前世の記憶がある。そして、過去の恋心を引きずったまま転生しているのだろう。

私個人としては、はせの姫＝私だとは思っていない。記憶があるだけで、意識としては別人だ。けれど、長谷川係長もそうだとは限らないような気がした。

桃谷君は、どうなのか。前に彼は、私を好きだと言っていた。それは前世のはせの姫に対する好意だったのか。それとも、私個人に対する好意だったのか。

まあしかし、なんとなく聞きにくい話だ。

「永野先輩、なんですか、その追及するような目は？」

「別に、なんでも――」

「もしかして、俺もはせの姫への恋心から告白したかどうか、気になっているんですか？」

悔しいので黙っていたが、否定することはできない。それは、桃谷君の発言が正しいと認めたようなものだった。

「あの告白は、長谷川係長が躍起になってアプローチしていたので、したくなっただけなんだと思います。本当に好かれていると思いました？　男にとって、恋は狩りと同じですからね。他人のものになった途端に、興味をなくす人もいるって話も聞きますし」

「さ、最低！」

あまりに酷い物言いに思わずジロリと睨んだが、桃谷君が傷ついたような表情を浮かべているのに気づいた。言いすぎたと思ったのだろうか。よくわからない。

「っていうか、桃谷君、態度変わりすぎ。入社してきたときは、もっと、なんていうか――」

「可愛かった？」

そうだけれど、肯定したら負けのような気分になってしまう。

「今のいじわるなのが本性なの？」

「当たり前ですよ。愛らしく振る舞っていたら、何事も上手くいきますから」

「せ、性格悪い」

「別に、いいんですよ。大半の人間は、俺のこと明るくて裏表のないやつだと思っているので」

「えー、なんだってー！」

騙された。

明るくて元気で素直な新入社員だと思っていたのに。思わず頭を抱え込む。

「永野先輩、この世の中、いつだって陽気なキャラクターがおいしい思いをするんです。嫌なことはひらりと躱して、上手く渡っていかないと搾取されますよ？」

「ぐぬぬ……！」

なんなのか、その豹変っぷりは。

私にバレても、大した影響はないと思っているのかもしれない。

完全に、私を舐めきっている。

そんな桃谷君の発言を、許すわけにはいかなかった。しばらく、反省してもらおう。

「桃谷君、絶交だから」

「はい？」

「絶交。会社で必要なとき以外、話しかけてこないで」

「いや、絶交って、小学生の喧嘩じゃないんですから」

桃谷君の言葉を無視して、ズンズン進んでいく。会計を済ませて、帰宅した。

手にしていた物をテーブルに置いた途端に、ジョージ・ハンクス七世が通勤鞄(かばん)から飛び出してきた。

『おい、遥香！　一度桃谷のやつを殴ってきてやる！』

「ジョージ・ハンクス七世、気持ちだけ受け取っておくから」

『いいや、我慢できない!!』

ジョージ・ハンクス七世は拳を握り、シュッシュッと前に突き出している。

騒いでいたら、マダム・エリザベスが呆れたように声をかけてくる。

『何がありましたの？』

『いや、こいつの後輩が、遥香に酷いことを言ったんだよ』

『まあ！　でしたら、成敗しなければなりませんわね』

マダム・エリザベスはテーブルの上に置いていたニンジンスティックを手に取り、剣のようにぶんぶんと振り回している。

ジョージ・ハンクス七世もテーブルに跳び、同じようにニンジンスティックをグラスから引き抜いた。

マダム・エリザベスとアイコンタクトし、二本のニンジンスティックを重ね合わせている。

キリッとポーズを取っているところ悪いのだが、ニンジンスティックは武器ではない。ぜひともおいしくいただいてほしい。

『マダム、敵は同じようだな！』

『ええ！』

桃谷君のおかげで意気投合したようだが、襲撃は止めてくれないかと切に願う。

「いや、なんていうか、痛い所を突かれただけで……」

『どういうことですの？』

「う、うーん」

言おうかどうしようか迷ったが、ここまで心配されては誤魔化せないだろう。

鬼という部分を伏せて、マダム・エリザベスに事情を話した。

『うっ、うっ、なんて、切ない話なのでしょう！』

マダム・エリザベスは、私と長谷川係長の前世と今世の話を聞いて号泣していた。

ジョージ・ハンクス七世も、涙ぐんでいる。

なんて心が清らかな存在なのか。彼らのおかげで、私の中にくすぶっていたモヤモヤは少しだけ薄くなったような気がする。

「まあ、そんな感じで、この件については、私も改めて考えるから、気にしないで」

長く付き合って長谷川係長が違和感を覚えるよりは、早い段階で気づいてもらったほうがいいだろう。

「一回、長谷川係長とも話してみる。ちょっと、怖いけれど」

もしも、長谷川係長が月光の君の恋心を今世にまで引き継いでいるとしたら、私ははせの姫ではないとはっきり言わなければいけない。

その結果お付き合いできないと言われたら、私はそれを受け入れるほかないだろう。

『わたくし、その男を見たら、殴ってしまいそう』

『おうおう、隣に住んでいる野郎だぜ。一緒に殴りに行こうぜ』

「あ!!」

隣に住んでいる野郎という言葉で思い出した。これからここに招いて、一緒に夕食を取る約束をしていたのだ。

「うわ、急がなきゃ！　恋バナしている場合じゃない！」

『おい、遥香。何を急ぐんだ？』

「これから長谷川係長と、一緒にごはんを食べるの」

『なんですって!?』

「マダム・エリザベス、殴ったらダメだからね」

『我慢できそうにありませんわ』

「そこをなんとか！」

と、式神ハムスター達に構っている場合ではなかった。

まず、叔母がお歳暮にいただいていた無洗米を開封し、釜に二合分のお米と水を入れる。

無洗米はお米に水を吸わせてから炊いたほうがおいしい。けれど、そんな時間はなかった。内心、長谷川係長に「ごめんなさい」と謝りつつ、調味料を用意した。

醤油(しょうゆ)と塩、料理酒を入れて、栗も投入する。炊飯器のスイッチをオン。

なるべく使いたくはなかったけれど、急速炊飯モードで炊くしかない。

続いて、味噌汁を用意する。サツマイモ入りの豚汁を作りたかったけれど、桃谷君と言い合いをしてしまったせいで、野菜の水煮を買うのを忘れてしまった。

しかたなく諦めて、豆腐とわかめの味噌汁を作る。丁寧にだしを取っている暇はないので、粉末だしを使う。

なんとか味噌汁は完成し、栗ご飯も炊けた。その瞬間にスマホが鳴る。長谷川係長から、今から帰るという連絡が入った。

すぐにサンマの鱗(うろこ)を取って、塩水で軽く洗う。

サンマは鱗が若干あるので、取ったほうが食べるときの食感がよくなる。洗う理由は、臭み消しだ。

塩をぱっぱと振ったサンマを、温めておいた魚焼きグリルに突っ込む。

視界の端に、ジョージ・ハンクス七世とマダム・エリザベスが拳を突き出してトレーニングしている様子が映った。

見なかった振りをする。

そしてサンマがおいしく焼き上がったタイミングで、チャイムが鳴った。

「よし、なんとか間に合った！」

問題は、剣呑（けんのん）な空気を漂わせる式神ハムスターズであった。

ジョージ・ハンクス七世とマダム・エリザベスをケージの中にそっと移し、大人しくしているように言い含めて閉める。

じっとしているのを見て、ホッと胸をなで下ろした。

もう一度、チャイムが鳴る。

「はいはーい、あ、服！」

昨晩、可愛い部屋着を用意していたのに、着替える暇なんてなかった。通勤用のスーツにエプロンをつけた姿である。加えて、慌てて料理をしたので髪や化粧はぐちゃぐちゃのまま。

もう、諦めるほかない。料理が間に合っただけでもよしとしよう。

ひとまずエプロンだけ取って、扉を開く。

「あ、どうも、おかえりなさい」

「ただいま」

おかえりなさいとただいまのやりとりが、なんだか新婚夫婦みたいで盛大に照れてしまった。

しかしながら、玄関にある姿見に自らの姿が映って現実に引き戻される。

長谷川係長を迎えたのは可愛らしい新妻ではない。一日中働いて疲弊した会社員だ。

はあと、ため息をついてしまった。

「永野さんも疲れているのに、ごめんね」

「いえいえ、料理はほぼ毎日しているので、どうかお気になさらず」

ひとり分作るのもふたり分作るのもそう変わらない。そう言うと、長谷川係長はホッとしたような表情を見せてくれた。

「これ、帰りがけに買ってきたお菓子なんだけれど」

「わー、ありがとうございます」

「スイートポテトにしたんだけれど、どうかな?」

「大好きです!」

長谷川係長の差し入れは、芋ようかんが有名な浅草の老舗和菓子店の包みだ。芋ようかんは食べたことがあったが、スイートポテトを売っているなんて知らなかった。

「ありがとうございます。サツマイモ、食べたい気持ちがあったのですが、買い忘れていたんです」

「そうだったんだ。それはよかった」

スイートポテトの包みを胸に抱き、リビングのほうへと誘う。

『おうおう、長谷川よう、よく暢気に顔を出せたものだな』

『そうですわね』

ジョージ・ハンクス七世とマダム・エリザベスが、両手に持ったニンジンスティックを肩の上から背中側におろしている姿でテーブルの上に立っていた。

「いや、だからニンジンスティックは武器じゃないんだけれど」

長谷川係長はマダム・エリザベスに気づき、少し警戒するような様子を見せている。

そういえば、彼女の気配に気づいたと話していたような。

「長谷川さん、こちらにいるのは叔父と契約している式神ハムスターで、エリザベス・ハンクス二世といいます」

「そうなんだ、よろしく」

長谷川係長が笑顔で手を差し出すと、マダム・エリザベスはニンジンスティックをぽとりとその場に落とした。

『まあ、いい男ですわ……！』

差し出された長谷川係長の手を、すぐさま小さな手で握り返す。瞳が、ハートになっているような気がした。

まさかの展開に、ジョージ・ハンクス七世はひとり憤慨している。

『おいこら！　裏切り者！』

『長谷川様、どうぞよろしく』

「よろしく」

マダム・エリザベスがイケメン好きだったなんて知らなかった。

一方で、ジョージ・ハンクス七世は悔しそうに地団駄を踏んでいた。単独で長谷川係長と戦う気はないようだった。

『長谷川めー！』

「え、俺、何かした？」

「なんでもないです! 本当になんでもないです!」

大事なことなので、二回言っておく。それよりも、ごはんにしよう。

栗ご飯はおひつに移しておいた。それを、食卓に持ってくる。

炊きたてのご飯をおひつの中に入れておくと、余分な水分を吸収し、ふっくらおいしいご飯になるのだ。

この辺は母から教わった知恵である。毎日おひつ入りのご飯ではなかったけれど、特別な日はかならずご飯をおひつに入れていた。

今日はせめてものおもてなしをと思って、ご飯をおひつに移した。急速で炊いたご飯の出来が心配だったというのもあるが。

栗ご飯、味噌汁、焼きサンマ——夕食にしてはシンプルだが、秋の味覚を楽しむごちそうだ。

「すごいな。仕事をして帰ってから、これだけ作れるなんて」

「頑張りました」

愛情はたっぷりこもっている。しっかり味わっていただきたい。

手と手を合わせて、いただきます。

まずは、栗ご飯からいただく。水煮は一週間前くらいに作っていたものだった。

この栗は毎年注文している栗農家から購入したもので、ホクホクしていて甘い。栗のお菓子にでも……と思っていたが、まさか栗ご飯に使うとは想定していなかった。

でもこれが、しょっぱめに味付けされたご飯とよく合った。

「栗ご飯、食べたのは久々な気がする。本当においしい」

「よかったです」

栗はおこわにしてもおいしい。暇があれば作りたい。

「長谷川さんは、栗はどんな食べ方が好きですか？」

「うーん、迷うね。パティスリーの秋限定のモンブランは絶品だし、お正月の栗きんとんも捨てがたい。渋皮煮もおいしいし、マロンパイも無性に食べたくなるときがある。でもなんだかんだで、一番は焼き栗かな」

「あー、焼き栗、わかります！　横浜の中華街に行ったら、絶対に買ってしまうんですよね」

長谷川係長は小学生のとき、庭で焼き栗を作っていたようだ。

「渋皮までしっかり切っておかないと、破裂するんだよ」

「は、破裂！」

私は庭のないマンション育ちなので、自宅で焼きイモをしたり、焼き栗をしたりといった話を聞くと羨ましく思ってしまう。

「それにしても、小学生時代の長谷川さん、想像できないですね」

「永野さん、俺のことなんだと思っているの？」

「生まれたときから係長みたいな」

「桃から生まれた桃太郎みたいに言われても」

桃太郎と聞いて、桃谷君を思い出してしまう。彼とのやりとりが甦り、思いっきり顔が引きつってしまった。

取り繕おうとしたが、遅かった。長谷川係長は私の反応に気づいて、訝しげな視線をグサグサと突き立てる。

「永野さん、また桃谷と何かあったの？」

「いやー……」

なんでもありません、の一言で誤魔化せる相手ではないだろう。即座に白旗をあげて、かいつまんで白状する。

「帰りのスーパーでうっかり出くわしてしまって」

「それって、あとをつけられていたんじゃないの？」

「いえいえ。桃谷君のほうが、先にスーパーにいたんです」

「それで？」

「えーっと」

なぜか、取り調べを受けているような状況となる。どうしてこうなってしまったのか。しどろもどろに説明する。

「なんと言えばいいものか」

今こそ、前世について聞くまたとないチャンスだろう。けれど、心の準備ができていなかった。

もう少しだけ、長谷川係長の恋人としてお付き合いをしたい。

ずるいかもしれないけれど、二度とこんなにすてきな人とお付き合いなんてできないだろう。だから半年、一年と先延ばしするつもりはないけれど、数ヶ月は甘いひとときを過ごしたいのだ。

今、長谷川係長に言えるのはほんの一部だけ。

「桃谷君に、彼氏ができて浮かれていると指摘されたんです」

「何それ。別に、桃谷には関係ないでしょう」

「ええ。だから、桃谷君に怒って、絶交だって宣言してしまって」

「絶交って、久しぶりに聞いたな」

「桃谷君には小学生の喧嘩じゃないんだからって、言われました」

「確かに」

一瞬間を置いて、長谷川係長はぷっと吹き出す。ピリピリした空気が和らいだので、ホッと胸をなで下ろした。

「そっか、よかった。永野さん、自分で桃谷に一矢報いることができたんだ」

「ええ、なんとか」

相手は強力だ。なんといっても、桃太郎の生まれ変わりである。

犬と鳥と猿も仲間なので、頑張っても勝てる相手ではない。

「桃谷相手に、よく頑張ったよ。彼が言ったことは、気にしなくてもいい」

「はい、ありがとうございます」

「これ以上やいやい言うようであれば、今度は俺から注意するから」

「百人力ですね」

さすがの桃谷君も、長谷川係長を怒らせるとなったら喧嘩もふっかけてこないだろう。そうだと信じたい。

「すみません、食事を中断させるような話題を振ってしまって」

「いやいや、こちらこそ、ごめん」

気分を入れ替えて、サンマを食べる。今年初めてのサンマだ。夕方まで売れ残っていてくれてよかった。

サンマの身に箸を入れると、じゅわっと脂が滲む。さすが、旬の魚だ。

ふっくら焼けたサンマは、塩が利いていてとってもおいしい。

片面はそのまま食べて、もう片面は大根おろしと醤油でいただく。

ほうと、満足のため息が零れた。

「絶妙な焼き加減だね」

「お褒めにあずかり、光栄です」

「自分でやると、こんなふうに上手く焼けなくって」

先日、長谷川係長もサンマを買って帰ったらしい。魚焼きグリルで焼いたら、表面は丸焦げなのに中は生焼け、なんて失敗をしてしまったのだとか。

そのあと、焦げた部分を削いで焼いたようだが、身はパサパサで生臭い上に焦げの風味がする残念な仕上がりだったらしい。

「もうね、脂が乗ったおいしいサンマを食べる気分だったから、がっかりだよ」

「火加減が強かったのでしょうね。旬のサンマは、焦げやすいので」

サンマは強火ではなく、中火でじっくり焼くのがコツだ。

「魚焼きグリルで焼くのが難しいようであれば、フライパンを使ってはどうですか。フライパンでもパリッと焼けるのですよ」

「へえ、そうなんだ」

魚焼きグリルはお手入れも大変だ。洗うのが面倒くさい。そういうときは、フライパンでサッと焼いてしまう。

「表面の水分をキッチンペーパーで拭ってから、火が通りやすいように切り込みを入れるんです。そのあとサンマをふたつに切り分けて、アルミホイルをフライパンに敷いて、その上で焼く。クッキングシートでも、同じように焼けるんですよ」

「なるほど。グリルだとぼんやりしているうちに丸焦げ、なんてことがあるから、いいかもしれない」

「お試しあれ」

そんな話をしながら、ペロリと食べてしまった。

私はサンマのワタが苦手なので残してしまったが、長谷川係長はきれいに食べている。頭と骨しか残っていなかった。

「あ、そうだ。夕食代だけれど」

「大丈夫です！　いつも、お食事代を払っていただいているので。ささやかですが、そのお礼も兼ねているんです」

「そうだったんだ。ありがとう」

「いえいえ」

その後、一緒に後片付けをし、スイートポテトをデザートとしていただく。

和菓子店のスイートポテトなので、飲み物は緑茶一択だろう。

カップに入ったスイートポテトは、電子レンジでチンするとおいしいらしい。

個包袋から取り出して、温めてみる。熱いので、フォークをお皿に添えた。

お茶の用意は、長谷川係長が担当してくれた。

「はい、お茶」

「ありがとうございます」

上司の淹れたお茶を飲むなんて恐れ多いが、今はプライベートだ。ありがたくいただく。まずは、アツアツのお茶を一口。

「えっ、おいしい！」

「それはよかった」

京都支社では、お茶は各自飲みたいときに淹れていたらしい。他人の分を淹れるのは禁止されていたようで、お茶を淹れる腕がぐんぐん上がったそうだ。

「そういえば、うちの課もお茶くみ制度、なくなりましたね」

「京都支社での話を木下課長にしたら、あっという間に廃止になったんだ」

「そうだったのですね」

給湯室の茶葉や茶器は撤去され、その代わりに冷蔵庫が小型から大型になったのだ。

それから、各々好きなものを飲むようになっている。木下課長は毎日、マイボトルを持ってきているらしい。

「ちなみに中身は青汁なんだって」

「健康志向ですね」

そんな話をしながら、スイートポテトをぱくりと食べた。温めたので、口に含んだ瞬間バターの香りを感じる。サツマイモのねっとり感と、どっしりとした食べ応えがなんとも言えない。和菓子店のスイートポテトなので、どこか和菓子みたいな味わいである。サツマイモを欲していた心は、瞬く間に満たされた。

まったりしているところに、電話がかかってくる。

「えっ!?」

「誰?　まさか、桃谷じゃないよね?」

「桃谷君には電話番号を教えていません」

「そうなんだ」

スマホの画面には、父と表示されていた。そのことを伝えると、出たほうがいいと助言をしてくれる。

「もう帰るから」

「あ、いや、まだ大丈夫です。出ますので、もうちょっとだけいてください」

どうせしようもない用事だろう。すてきな一日を、父との会話で終わらせたくない。長谷川係長に申し訳ないと思いつつも、引き留めた状態で電話に出た。

「もしもし」

『遥香か？』

「そうだけれど、何？」

『その、用事を頼みたくて』

やっぱりしようもない電話だった。がっくりと、肩を落とす。

「何かあったの？」

『今月末にある、浅草秋季骨董(こっとう)市を知っているか？』

「聞いたことならあるけれど」

父は妙に歯切れが悪い様子で、説明する。

浅草秋季骨董市――それは年に一度、浅草にある会館で行われる催しらしい。

なんでも、浅草の古物商が集結し、アンティークや美術品など幅広い品物が展示、販売されるのだとか。

「それがどうしたの？」

『毎年永野家の者が代表して、見回りに行っているんだ。ほら、古い物には、怪異が取り憑くというだろう？』

そうなのだ。世に聞く呪われた道具は、だいたい怪異が取り憑いている。

有名なものだと髪の毛が伸びる『日本人形』とか、『妖刀村正』とか。

それ以外に海外で有名なのは、手にした者が次々と悲惨な最期を遂げる『ホープダイヤモンド』。あのマリー・アントワネットも所持していたようだが、彼女の結末はご存じの通り。

有名な『ツタンカーメンの呪い』も、人々の野心が邪気を引き寄せた結果起こったものだろう。

長い時を経て人の邪気に触れ続けたものは、怪異を呼び寄せてしまう。

怪異が取り憑くことによって呪いが増強され、使う人が呪われる、なんて話は陰陽師界隈（かいわい）でよく耳にしていた。

『それで、呪いの骨董品が売られていないか見回りに行くのだが、今年はうちが当番で……』

だんだんと、声が小さくなっていく。

『その、なんていうか、呪いを察知する能力に自信がなくて、義彦のマダム・エリザベスを借りようとしたら、遥香のところにいるって言うから。マダム・エリザベスの協力を得たいなと思っているんだけれど』

「ええっ、なんでそうなるの!?」

盛大なため息を吐いてしまう。まさか、式神ハムスター頼りなんて。

『頼む！　この通り』

「わかった。マダム・エリザベスに聞いてみるから」

マダム・エリザベスはテーブルの端でニンジンスティックを囓っていた。骨董市の調査を手伝ってくれないか、お伺いを立てる。

「マダム・エリザベス、あの、骨董市の調査に行かなければいけないのだけれど、付き合ってくれる?」

『ええ、よろしくってよ』

「ありがとう」

だってさと父に伝えると、今度は「骨董市の日は用事があって……」ともごもご言い出す。最初から私に押しつける気だったようだ。

「これ、お父さんに貸しひとつだからね！」

「わかった」

具体的にどうすればいいかは、メールで送ってくれるらしい。

『じゃあ、すまないが頼んだぞ』

「はいはい」

ぶつりと電話が切れた瞬間、はあと盛大なため息が零れる。

「永野さん、実家で何かあったの？」

「あ、えーっと、永野家が毎年、浅草で開催される骨董市の見回りをしているみたいで、それに行ってくれないかっていうお願いでした」

「そうだったんだ。もしかして、浅草秋季骨董市？」

「それです。毎年、出品されている骨董品に、呪いがかかった品や怪異が取り憑いた品がないか確認していたようです」

「行ったことあるの？」

「いえ、ないです」

「だったら、一緒に行こうか？」

「いいのですか？」

「別にいいよ。興味もあるし」

マダム・エリザベスのほうを見る。大歓迎だと、身振り手振りで示していた。

長谷川係長の同行は問題ないようなので、テーブルに三つ指を突いてよろしくお願いしますと頭を下げた。

それからしばらくは、平和な日々が過ぎていった。

桃谷君が私にいじわるを言いにくることもなく、怪異が事件を起こすこともなく。

最近は見かける怪異もぐっと少なくなった。ただ、大丈夫だと油断せず、担当地域の見回りは長谷川係長と共に続けている。

自動給餌器に近づけない怪異もいるかもしれないと想定し、以前のように外に放置するだけのお菓子も作ってみた。

帰宅後、夕食を済ませてからお菓子作りの時間となる。

先日、父がさまざまな種類のサツマイモを大量に送ってきた。骨董市の見回りに対する先払いの報酬なのかもしれない。

今回貰（もら）ったサツマイモは、四種類。

大人気だという、糖度が四十度近くある安納芋。

ホクホクとした食感が特徴の鳴門金時。

しっとりとしたなめらかな食感や、甘みが自慢の紅はるか。

しつこくない甘さの紫芋、パープルスイートロード。

サツマイモは六十種類以上の品種があるようだが、その中でもねっとり系とホクホク系、しっとり系の三つのグループに分かれるらしい。

最初はオーブンで焼くというシンプルな食べ方をしていたが、お菓子作りに使ったらどうかと思い立ったのだ。

何を作ろうかと考えているうちに、お菓子作り熱がメラメラと湧き上がってくる。

定番はスイートポテトだが、つい先日長谷川係長と食べたばかりなので別のお菓子を作りたい。ただ、いかんせん量が多い。

父は私が独り暮らしだということを知っているのに、どうしてこんなに送りつけてくるのか。嬉しいけれど、独り暮らしの女子が消費できる量ではなかった。

まあ、いい。サツマイモは大好きなので、時間をかけて食べてしまおう。

今日は何を作ろうかと考える。なんだか今日は、定番ではなく変わり種を作りたい気分だった。

料理サイトを調べていたら、サツマイモのきんつばが出てきた。

「おいしそうかも！」

作り方を見ていたら、マダム・エリザベスがやってくる。

『何を見ていますの？』

「サツマイモのきんつばの作り方」

『きんつばって、なんですの？』

「練ったあんに、生地を纏（まと）わせて焼いたお菓子、かな」

『それがなぜ、きんつばというのです？』

「昔は丸くて、刀のつばに似ていたから呼ばれていたみたい」

『へえ、そうなのですね』

由来を説明すると、マダム・エリザベスはきんつばに興味を持ったようだ。なんと、作るのを手伝ってくれるという。さっそく、調理に取りかかった。

サツマイモは鳴門金時を贅沢（ぜいたく）に使う。

「えーっと、まずはサツマイモを輪切りにして、蒸す、か」

『わたくしに、お任せあれ！』

自分の体よりも大きな包丁を持ち上げ、目にも留まらぬ速さでサツマイモを輪切りにしていく。

「わっ、すごい！」

『これくらい、なんてことなくってよ』

マダム・エリザベスは隠密活動が得意な式神だと聞いていたが、接近戦もかなり強そうだ。

蒸籠（せいろ）にサツマイモを並べて蒸していく。

マダム・エリザベスは慣れた様子で、グラニュー糖の分量を量ってくれた。

「あれ、もしかしてマダム・エリザベスって普段料理もするの？」

『たまに、ですわ。義彦さんったら、コンビニのお弁当ばかり買ってくるので』

「そうなんだ」

なんとなく、叔父は自炊するようなタイプではないなと思っていたが、想像通りだった。

「どんな料理を作るの？」

『クリームシチューに、カレーライス、グラタンにハンバーグ……まあ、一通り作れますわ』

「ええっ、すごい」

『遥香さんはお料理できますものね』

「でも、マダム・エリザベスの料理も食べてみたいかも」

『今度、作って差し上げますわ』

「やったー！」

そんな会話をしているうちに、サツマイモが蒸しあがる。

蓋を開けると、甘い匂いが湯気と一緒に漂ってきた。

「わー、いい匂い！」

このまま齧っても十分おいしいだろうが、食べるのはしばし我慢だ。

皮を剥いてボウルに入れ、牛乳とグラニュー糖、ひとつまみの塩と一緒に潰していく。ここでも、マダム・エリザベスは力強さを見せてくれた。

「マダム・エリザベス、マッシャー、重たくないの？」

『大丈夫ですわ！』

均等に潰れたら、形を整える。

「今日は昔風に、刀のつばの形にしてみようか」

『いいですわね』

次はつばのように丸めたサツマイモに、生地を纏わせる。生地の材料は、白玉粉と薄力粉、水。薄力粉は漉しておく。

ボウルに白玉粉と水を入れて溶かした。これに、薄力粉を合わせて混ぜるのだ。すると、衣液が完成となる。

これに、先ほど成形したサツマイモを片面ずつ浸してフライパンで焼いていくのだ。薄く仕上げる生地が、きんつば最大の特徴だろう。

油を引いて、焦げないように焼いていく。

「よしと、こんなものかな」

『いい匂いがしますわ！』

「だね」

鳴門金時を使ったきんつばの完成である。

『味見をしてみましょう！』

「マダム・エリザベス、人間の食べ物、大丈夫なんだ」

『ええ、もちろんですわ』

ジョージ・ハンクス七世とミスター・トムは、ハムスターが好むようなものしか食べない。てっきりマダム・エリザベスもそうだと決めつけていた。

「ごめんなさい、知らずにジョージ・ハンクス七世と同じものをあげてしまって」

『いえ、よろしくってよ。普通のハムスターが好むものも大好きですの』

「だったらよかった」

夜十一時を過ぎていたが、味見をする。

焼きたてのきんつばにかぶりついた。

「んんー、おいしい！」

表面の皮はパリパリ、中のあんはホクホク。マダム・エリザベスと半分こだったが、大変な満足感があった。

『遥香さん、おいしくできていますわ』

「だね！」

きんつば作りは大成功だった。

おいしく作れたので、明日の浅草秋季骨董市に持って行こう。

そう。ついに、見回りの日がやってきたのだ。

あれから父より当日の調査について、詳しい情報がメールで送られてきていた。

なんでも呪いがかかっていたり、怪異が取り憑いたりした骨董品やアンティークの品を発見したら、一万円以下なら買い取るらしい。それ以上は、人形（ひとがた）に微量の邪気を吸わせ、一度本家へ持ち帰るのだとか。

怪異や邪気のレベルによっては、当主である祖父がその品物を扱うお店に出向いてお祓いをするようだ。

その昔、骨董を扱う業者と陰陽師は親密な関係だったらしい。しかしながら時代は流れ、陰陽師達は続々と廃業した。関係は次から次へと絶たれ、今では陰陽師の存在を知らない業者がほとんどだという。

そんなわけで、基本的には怪しまれないように調査するようにと注意書きがあった。自信はないものの、頑張るしかない。

翌日――朝から張り切って身なりを整える。服は昨晩、マダム・エリザベスと選んでおいたのだ。

テーマは秋！　チョコレートブラウンのセーターにシャンパンゴールドのロングスカートを合わせた。

ちょっと肌寒いので、黒いジャケットを上から羽織る。

「マダム・エリザベス、どうかな？」

『よく似合っていますわ！』

「ありがとう」

ジョージ・ハンクス七世は留守番するらしい。マダム・エリザベスと一緒に鞄の中で過ごすのは辛いと言う。

『ずっと喋っているんだよな。付き合いきれないぜ』

「そ、そっか」

『何かあったら、長谷川に言って召喚してもらえ』

「そうだね」

ジョージ・ハンクス七世は私以外に、長谷川係長とも契約を交わしている。

私があんまりにもへっぽこで、ジョージ・ハンクス七世の能力を使いこなせないからだ。面目ない。

『マダムや長谷川がいるからといって、油断するなよ』

「了解です」

マダム・エリザベスを鞄の中へと誘う。楽に過ごせるように、綿入りのポーチを用意していた。小瓶に詰めた水とひまわりの種も用意しておく。

「マダム・エリザベス、鞄の中、大丈夫そう？」

『至れり尽くせりですわ』

「よかった」

改めてジョージ・ハンクス七世に留守を託し、外に出る。長谷川係長はすでに廊下で待っていたようだ。

「お待たせしました」

「いや、今部屋から出たばかりだよ」

その場に立っているだけでも絵になる長谷川係長をジッと見つめる。私服は秋らしいポロコートにセーター、ズボンを合わせている。今日もとってもすてきだ。

「行こうか」

そう言って手を差し出す。私が差し伸べた手は、触れる寸前で止まった。

「どうかしたの？」

「あ、いえ、前にも言いましたが、手を繋いでいるところを会社の人に見られたら困るかなって」

「何も困らないよ。不倫カップルじゃあるまいし。別にバレてもいいって、前に話したでしょう」

「で、でも、なんと言いますか、まだ抵抗がありまして――っと！」

長谷川係長は問答無用で私の手を取り、エレベーターのほうへと歩き始める。

「人事部長と会っても、手、放さないから」

「せめて、木下課長の前くらいまでにしておいてください。人事部長は本当にやばいですって」

「気にしていないから」

「長谷川係長」

「休みの日は長谷川さん！」

「は、はい。長谷川さん、でした」

これ以上言ったら、怒らせてしまうだろう。誰にも会いませんようにと願いながら、手を繋いで骨董市の会場に向かった。

マンション前のバス停からバスに乗って十分くらいの距離に、浅草秋季骨董市が開催される会場があるらしい。

バスのシートに腰を下ろすと、長谷川係長は腕を組んで外の景色を眺めていた。

せっかくのデートなのに、私がビビリまくっていたのでご機嫌斜めである。

「あの、ごめんなさい」

「何の謝罪？」

「いや、私がへたれで」

「別に、いいよ。逆の立場だったら、こちらが気にしているだろうし」

心が狭かったと、逆に長谷川係長が謝る。

「あの、今日、帰ったらごはん、一緒に食べませんか？」

「だったら今日は、俺が作る」

「長谷川さんが、ごはんを作ってくれるのですか？」

そうだとばかりに、こっくりと頷いた。

「オムライス、永野さんに食べさせてあげようと思って、練習したから」

「――――ッ！」

以前、長谷川係長にオムライスが好きだ、という話をしたのだ。もしかして、それを覚えていて、練習してくれたのか。だとしたら、とても嬉しい。

「楽しみにしています！」

そう返したら、長谷川係長は淡く微笑んでくれた。

と、そんな話をしているうちに、バスは目的地に到着する。骨董市の会場は、下車してすぐ目の前にあった。

七階建ての立派な建物で、展示会や即売会のイベントや試験やセミナー、会議などさまざまな用途で利用されるようだ。

会場は四階の展示場。五百人以上は収容できる広いフロアらしい。

エレベーターで上がっていく。

「永野さん、緊張しているね」

「長谷川さんと手を繋いでいるからだと思います」

今、私は会社の人に会うかもしれないというドキドキ感に襲われているのだ。

「へえ、そういうドキドキなんだ。がっかりだな」

そう言うやいなや、長谷川係長は手を一瞬放し、私の指と指の間に指先を滑り込ませてぎゅっと握る。

これは俗に言う、恋人繋ぎ!?

触れ合った瞬間、心臓がばくんと跳ねた。

「こっちはどう?」

「とてつもなくドキドキします」

「じゃあ、こっちで行こう」

「いや、これでは、私の心臓が保(も)ちませ——!」

このタイミングで、エレベーターが四階に到着した。すでに開場しているので、人がパラパラと歩いている。

当たり前だが、誰も私達を気にしていない。会社の人も、ザッと見回したがいないようだった。

「こんな渋いイベントに、会社の人達がいるわけないじゃない」

「そ、そうですけど」

同じ課の人達は、どちらかと言えばアウトドア派が多い。木下課長は家族でよくキャンプに行くという。山田先輩は、釣りが趣味だと話していた。杉山さんは週末、カラオケに行くと言っていたし、桃谷君は公園でスケートボードを嗜（たしな）んでいると話していたような。

「本当に、永野さんは心配性だね」

「ええ、自分でも呆れるくらい、ビビリなんですよ」

会場に入る前に、端のほうでこっそり人形を用意する。これはマダム・エリザベスが作ってくれたものだ。邪気や怪異に反応して、呪われた骨董品の有無を教えてくれるらしい。

結界が施されているようで、私達以外にこの人形は見えないようだ。

鞄の中で表面に書かれた呪文を摩（さす）ると、人形がうごうごと動き始める。呪文を唱えたら、元気よく飛び出してきた。

「わっ――と！」

私の周囲だけでなく、それ以外の人達の間を縫うようにくるくる旋回しているが、本当に誰にも見えていないらしい。

そんな人形を引き連れ、会場の中へと入る。

「お店がたくさんだ」

初売り並みの盛況ぶりとは言わないが、そこそこの混雑っぷりである。

古い物を扱うお店ばかりなので、独特の古びた臭いが漂っていた。

暖房が効いておらず、ひんやりしているのは温風で商品を劣化させないためか。

ジャケットを着てきてよかったと思う。

「いや、すごい品揃（しなぞろ）えですね。これを全部見回ることを考えると……うっ！」

「頑張ろう」

長谷川係長は私を励ますように、ぽんと背中を叩く。

骨董品というのはアメリカで決められた通商関税法によると、作られてから百年以上経った工芸品や美術品、手工芸品を総称して呼ぶらしい。

　ということは、ここにある品々はどれも、百年以上人の手の中にあったものである。

　邪気を吸収し、怪異を呼び寄せてしまうのも無理はないというわけだ。

　そんなことを考えていたら、長谷川係長がぽつりと呟く。

「骨董品の定義は百年以上前に作られた品ということらしいけれど、ここにある品すべてがそういうわけではないみたい」

「え、そうなんですか？」

「あそこにある一見して古めかしく見えるアンティーク風の箪笥は、たぶん古く見えるように加工してあるだけ」

「へ、へえ」

　イギリス製のアンティークチェスト、お値段五十万円とある。本物のアンティークではないのに、かなりお高い。

「こういうのも、ありなんですね」

「まあ、普通にぼったくり価格なんだけれど」

　私達の会話が聞こえたからか、二十代後半くらいの女性がツカツカとやってくる。

「ちょっとあんた達、人の店の前でデタラメ言って、営業妨害だからね！」

「でもこれ、アンティークじゃなくって、エイジング塗装されたものですよね？」

長谷川係長が輝く笑顔で言い放つ。

ちなみにエイジング塗装というのは、新しいものにダメージを与えたり、ペイントしたり、ヤスリで擦ったりして、わざと古めかしく見えるように作る加工だという。

長谷川係長は五十万円のアンティーク家具を、エイジング塗装されたものだと指摘した。店主の女性はすぐさま反論する。

「これは十八世紀後半にイギリスで作られた、貴族達の間で愛されていた家具メーカーの商品だって、輸入業者が言っていたんだけれど。デタラメ言わないで！」

「へえ、檜製だけれど、イギリス製アンティークなんだ」

「ひ、檜？」

「これ、檜」

確か檜はアジア特有の木材だったような。十八世紀後半にヨーロッパに輸出されていた――などという話は聞いたことがない。もしかしたら輸出されていた可能性もあるが、広く普及はしていなかっただろう。

「ヨーロッパの木材の流行は、オーク、そのあとにウォルナット。十八世紀後半辺りはマホガニーが流行っていた。木材の面から見ても、この箪笥は五十万円の価値はないと」

「あ、あんた、なんなの？　同業者？」

「ただの会社員だけれど」

「そんなわけないでしょうが！　これ以上営業妨害をするんだったら、警察を呼ぶから――」

「なんて？」

　出た、長谷川係長のドスの利いた京都訛り。

　さ――っと、冷たい風が流れたような気がした。他人に向けられた言葉であったが、背筋がゾッとしてしまう。さすがの店主も、言葉を失っているようだった。

　相手が戦意喪失したので、逃げるなら今がチャンス。長谷川係長の手を引いて足早に立ち去った。

　さすがにやりすぎたと思ったのか、長谷川係長は珍しく反省の色を見せる。

「ついついやってしまった。こういうの、しないほうがいいのに」

「でも、店主さんは騙されて仕入れたようでしたから、逆によかったのかもしれませんね」

「そう思ってくれたら、指摘したかいがあるんだけれど」

　言い方には気を付けよう。長谷川係長は自らの悪い点を認めて次はしないと誓っていた。

「まあ、日本のアンティークの基準がふわっとしているのも、問題だよね」

骨董品の定義は、そこまではっきりと周知されていないらしい。

「ざっくりと、古くていいものを骨董品だと思っている人もいるみたいなんだ」

「実は、私もちょっと前までそう思っていました」

骨董品とそうでない品について、長谷川係長が教えてくれる。

「百年以上経ったものはアンティーク、それに届かないものはジャンク、それ以下の中古品はラビッシュ」

「お詳しいのですね」

「祖父が、そういうのが好きだから。お酒を飲みながら、延々と聞かされたんだよ」

「な、なるほど」

日本での骨董品の定義は非常に曖昧だ。だから、ここに集められた品々は玉石混淆(ぎょくせきこんこう)なのだという。

人形はスイスイと会場の中を泳ぐように飛んでいた。今のところ、反応はない。

実際、見渡す限り、邪気を漂わせている骨董品は見つからなかった。

長谷川係長は私の手を放すつもりはないらしい。しっかりと握ったまま、歩いている。もしかしたら、この人混みの中ではぐれないように繋いでいるだけかもしれないが。それでは恋人扱いではないと思いつつも、盛大に照れている自分がいた。

いや、長谷川係長にドキドキしている場合ではなかった。しっかり骨董品を見て回り、怪しい品がないか確認しなければならない。

ひとつずつ慎重に、ジッと見つめる。並んでいるのは、典型的な骨董品ばかりだ。

複雑な模様が彫られた彫金細工に、銀や鉄のやかん、中国で作られたであろう陶器の壺に桐箱に入った茶器、それから刀や刀装具。

刀から外されたつばも販売されていた。精緻な龍や稲穂、風の彫刻が施されている。

ここで、ふと思い出した。

「あ、そうだ。昨日、サツマイモのきんつばを作ったんですよ。長谷川さんの分も作ってきたんです」

出発前に渡すつもりが、長谷川係長があまりにもカッコよかったのですっかり忘れていたのだ。

「えーっと、あとで、お渡ししますね」

「ありがとう。楽しみにしている」

それから何軒か見て回ったものの、怪しい品はないように思える。当然ながら、人形や鞄の中にいるマダム・エリザベスも反応しない。

長谷川係長も邪気を感じていないようだ。

そんな中でふと、気になる品があった。それは、持ち手に革が巻かれた古めかしい西洋の短剣である。

「あ、これ——」

「お嬢ちゃん、お目が高い!!」

声をかけられ、ハッとなる。顔をあげると、サングラスにアロハシャツという胡散臭い恰好をした店主と目があった。

年の頃は五十前後か。外や会場も寒いのに、よく薄手のシャツ一枚でいられるものだと感心してしまう。真冬でもTシャツ半ズボンで登校する小学生男児のような、寒さに絶対負けないソウルを持っているのかもしれない。

「こちらは、中世の呪いに使われた短剣なんだよ」

のろいとまじない。漢字は同じだが、読み方や意味はまったく違う。ざっくりとした違いは、のろいは他者を恨んで使う悪しき術で、まじないは不思議な力を使って行われる魔法みたいなものだ。同じように見えて、性質はまったく異なる。

「刃が水晶なんだよ」

「へえ、そうなんですね」

　水晶の剣なんて、初めて聞いた。

　義彦叔父さんから預かったステッキ『マジカル・シューティングスター』みたいに呪術の媒体として使われていたのだろう。

「これはね、十万円のところ、特別価格一万円!」

「え、安い!　どうしてですか?」

「残念ながら、鞘が錆びていて、抜けないんだよ」

　試してみるかと言われて、水晶短剣を手に取る。本当に、鞘から剣を引き抜けなかった。

「鞘から抜けるのであれば、博物館で飾られるような代物だったんだがねえ」

　どうしてだろうか、この水晶短剣の持ち手が不思議と私の手に馴染む。

　一万円あれば、贅沢な食生活が送れるだろう。だがしかし、この水晶短剣に魅力を感じてしまった。ここまで心が惹きつけられる品もないだろう。

「あの、もうちょっと、安くなりませんか?」

「うーん、仕方ない。じゃあ、八千円でどうだ!」

「買います!!」

そんなわけで、いつの間にか買ってしまった。

長谷川係長を振り返ると、呆れた表情をしている。

「なんで鞘から抜けない剣なんか買っているの？」

「いや、なんだか不思議な魅力がありまして」

長谷川係長は怪しいと思ったのか、水晶短剣を貸すように言う。長谷川係長の力でも、鞘から剣は引き抜けなかった。

長谷川係長は店主に名刺を要求し、受け取っていた。怪しいと思っているのだろう。

「永野さん、これ」

長谷川係長は、先ほどもらった名刺を私に差し出す。

「名刺の情報、携帯に登録したから、こっちは永野さんが持っていて。何があるか、わからないから」

「ありがとうございます」

名刺を受け取り、財布の中に忍ばせた。

その後も会場を見回ったが、邪気を発する骨董品は見つからなかった。そのまま、帰宅する。

これから食事だが、一度各自の家に帰ったあと合流しよう、ということになった。

私は化粧を直したい。長谷川係長にドキドキしすぎて、汗を掻いてしまった。おそらく、化粧は崩れかけているだろう。部屋に入る前に呼びとめられる。

「その前に永野さん、もう一回さっきの水晶短剣を見せて」

「あ、はい。どうぞ」

マダム・エリザベスにも見てもらったが、悪い品ではないという。それどころか、掘り出し物かもしれないと言われていた。

抜いた剣が本当に水晶だったら、リビングに飾ろう。力自慢のジョージ・ハンクス七世ならば、抜けるかもしれないし。

長谷川係長は鋭い目で、剣をさまざまな方向から見ていた。まるで、鑑定を生業にする鑑定師のようだった。

「なんだろう、何かが引っかかる」

「一回、本家の人にも見せてみます」

「それがいいかもしれない」

長谷川係長はこちらに柄を向け、水晶短剣を差しだした。柄を摑んで引いた瞬間、これまでなかった手応えを感じる。

長谷川係長が鞘を持ち、私が柄を引く。すると、剣が抜けた。

「え!?」

「これは！」

すらりと、美しい水晶の剣が鞘から出てきた。

「なんて、きれいな――」

言い終えないうちに、体ががくんと前に引かれる。

私は水晶短剣を握ったまま、長谷川係長に抱きついてしまった。

「ぐうっ！」

長谷川係長の苦しげな声が聞こえた。焦って、すぐに離れる。

手にしていた柄も引いたが、なぜか動かない。

「え!?」

柄から手を離し、ふらふらと後退する。

先ほどまで私が握っていた水晶短剣が、長谷川係長の胸に深く刺さっていた。

「ど、どうして!?」

全身に鳥肌が立ち、サーッと、血の気が引いていったような気がする。

なぜ？　どうして水晶短剣が長谷川係長の胸に？

一度、引き抜いたほうがいいのか。

いや、刃物が刺さった場合、そのままにしておいたほうがいい、なんて話を聞いた覚えがある。

「あ、あの——」

いったいどうしたらいいのか。ひとまず、楽な姿勢になってもらったほうがいい。救急車を呼ばなきゃ、と考えていたら、突然、胸の水晶短剣が消えた。

長谷川係長は胸を押さえ、がっくりとうな垂れる。

「は、長谷川さん!?」

「ん?」

次の瞬間、顔を上げた長谷川係長は、何事もなかったかのようにキョトンとした様子で私を見つめる。

「あれ、永野さん、どうかしたの?」

「どうかって、今——」

「ああ、なんか一瞬ふらっとしたかも。寝不足だったのかな?」

「寝不足?」

ホッとしかけたが、寝不足なわけがない。私がさっきまで手にしていた水晶短剣が、胸に刺さって消えたのだから。

「あ、あの」

「大丈夫、ありがとう」

拒絶するかのような、キッパリとした声色だった。

「それはそうと、永野さんはこれから出かけるの？」

「え？」

「オシャレしているから」

いったい、何を言っているのか。まるで、私との外出の記憶がスッポリと抜け落ちたかのような発言である。よそよそしい態度も他人行儀で落ち着かない気持ちになった。それから一言二言会話を交わすも、いまいちかみ合わない。いったい、どうしてしまったのか。

「なんて、休日まで上司と話したくないよね。じゃあ、また月曜日に」

長谷川係長は会社でしか見せない営業スマイルを浮かべ、部屋に入っていった。

足下が、ガラガラと崩れていくような恐怖を覚える。

これから一緒に食事を取る予定だったし、サツマイモのきんつばも渡していない。

それなのに、長谷川係長は「また月曜日に」と言った。

会社で上司と部下だった記憶はあるようだが、今日一日を一緒に過ごした記憶どころか、私と恋人関係だった記憶がごっそりなくなっているように感じた。

「そんな、まさか……ありえないよ」

視界がぐらりと歪んでいく。壁に手をつき、その場にしゃがみ込んだ。

まだしっかり確認していないが、あの長谷川係長が私との約束を忘れるわけがない。

水晶短剣が胸に刺さって、消えてしまった。

もしかしたら、何かの呪いか、呪いの可能性がある。その結果、記憶に混乱が生じているのだろうか？　わからない。

『ちょっと、遥香さん！　大丈夫ですの？』

「大丈夫、じゃないかも？」

『とりあえず、部屋に入りません？』

「そ、そう、だね」

なんとか這いつくばって扉の前まで行き、自分の部屋の中へと入る。

玄関でしゃがみ込んでしまった。マダム・エリザベスからもうちょっと頑張って進むように言われたが、足が石のように固まって動けないのだ。

出迎えてくれたジョージ・ハンクス七世が心配そうに声をかけてくる。

『おい、遥香、どうしたんだ』

「た、大変なことに、なったの」

『何が起こったんだ？』

「長谷川係長の私に対する記憶の一部が、なくなっちゃった、かも？」

『な、なんだと——!?』

私が怪しい品物を買ったせいだ。いくら悔やんでも、時間は巻き戻せない。

震えが、止まらなかった。ぎゅっと拳を握っても、尚震えてしまう。

『ひとまず、義彦さんに報告して——』

「マダム・エリザベス、待って、ダメ！」

『どうして？』

「そ、それは」

永野家の面々に、長谷川係長を詳しく調査させるわけにはいかない。仮に、鬼であることがバレたら、本家の人達は鬼退治だと言ってはりきって押しかけてくるだろう。

それだけは絶対に、阻止しなければならない。かといって、マダム・エリザベスに長谷川係長が鬼である、と説明はできなかった。頭を抱え、言い訳をひねり出す。

「これ以上私が問題を起こしたら、お父さんの立場がなくなる、から」

『そう、ですの？』

「う、うん。私、この前も問題を起こして……」

以前、『ホタテスター印刷』で起きた事件について、下手な介入をしてしまい一族の中で問題となったのだ。その件は長谷川係長と解決したことで不問となったが、それでも、陰陽師としての魂がヒュンと縮こまったと父に文句を言われていたのだ。

「ひとまず、様子を見て――」

言い終わらないうちに、涙がぽたぽたと落ちる。

もう、どういう対応をしていいのか、わからなくなっていた。

胸に水晶短剣が刺さったまま、様子見なんてしていていいわけがない。けれども、誰に相談をして、どういう行動を取ればいいのか、まったくわからないのだ。

『遥香さん、今日のところは、何も考えずにゆっくり過ごしましょう。お隣さんには、ちょっとした呪術を仕掛けておきますわ』

悪質な呪いが発動するようだったら、私に知らせてくれるらしい。

『大丈夫、大丈夫ですわ』

マダム・エリザベスはそっと私に寄り添い、優しく撫でてくれた。

ジョージ・ハンクス七世がやってきて、ぼそりと呟く。

『でも、お前に対する記憶の一部が消えてなくなるなんて、一大事じゃないか。ぼんやりしていないで、すぐに解決したほうがいいんじゃねえ――むがが！』

ジョージ・ハンクス七世の口を、マダム・エリザベスが塞いだ。

『あなたは、大人しくしていてくださいまし！』

『むがががー！』

ジョージ・ハンクス七世は抵抗するが、力では敵わないようだ。

ただ彼の言うことも、一理ある。

「ごめんなさい……」

マダム・エリザベスが、長谷川係長に異変があれば知らせてくれる呪術をかけてくれた。

もしも反応を示したときは、迷わず叔母と叔父に連絡しよう。

第二章

陰陽師は桃太郎と手を組む
(※ただし、交際を前提に)

浅草秋季骨董市にて購入した水晶短剣——それは、とんでもない代物だった。

鞘から剣が抜けないと店主は話していたが、柄と鞘、双方から引いたら抜けるような構造だったのだ。

そして、水晶短剣は引き抜かれた瞬間、なぜか長谷川係長の胸に吸い込まれていった。結果、私への特別な感情に限定した記憶がなくなってしまったらしい。

誰かに相談したいと強く思う。

けれども、長谷川係長が鬼であることを含めて相談できる人は身内にはいなかった。

叔母や叔父に相談した結果、長谷川係長が鬼の一族であるとバレたとしたら、長谷川家にも迷惑がかかってしまうだろう。

私の力だけで、どうにかするしかない。

長谷川係長が水晶短剣を購入した店主の名刺を貰ってくれていたが、ひとりでお店に向かうのは恐ろしかった。ジョージ・ハンクス七世やマダム・エリザベスは、まだ動かないほうがいいと言う。

水晶短剣自体は、呪われた道具ではないようだ。

詳しく調査したマダム・エリザベス曰く、教会でなんらかの儀式に使う聖なる剣らしい。その辺の道具は陰陽師の管轄外である。マダム・エリザベスは知り合いの式神に相談してくると言って、出て行ってしまった。

そんなわけで、刻々と時間だけが過ぎていく。

ここ数日、長谷川係長はごくごく普通だった。私に対しても、いい上司でいた。

自分が鬼だと自覚があるのかは、謎である。

私が部下だったという記憶があるだけでも、ありがたいと思えばいいのか。

今日も長谷川係長は部下全員を平等に扱い、仕事もスマートに助けてくれる。

けれどつい先日までは、一歩会社を出ると、私は長谷川係長の特別な存在だったはずなのだ。その落差を、心はいまだ受け止めきれていない。

今朝も、マンションを出る際にすれ違ったものの、他の住人同様に爽やかに挨拶をされるだけだった。営業スマイルが向けられるたびに、胸がずきんと痛む。

帰ったらお菓子作りでもしようか。心のモヤモヤは、お菓子作りにぶつけるのが一番だ。最近、調べ物ばかりで作る暇がなかった。

やはり定期的にお菓子作りをしないと、ストレスが溜まってしまう。

早く帰ろう。

終業時間となり、鞄にスマホや水筒を入れていたら、背後から話しかけられる。

「あれ、永野先輩、お帰りですか？」

振り向いた先にいたのは、いじわるな笑みを浮かべる桃谷君であった。絶交宣言をしてから、一度も仕事以外で話していない。それなのに、どうして声をかけてきたのか。

今は、彼に優しい言葉をかける余裕すらないのに。

「そうだけれど、何か私に用事？」

「いや、長谷川係長と喧嘩でもしたのかと思っ――むぐぐ……！」

まだ、フロアには人がいる。それなのに私と長谷川係長の関係について口にするなんて。

おそらく、桃谷君は長谷川係長の変化に気づいている。一度、口止めしておいたほうがいいだろう。

周囲の目があるので、すぐに手を離す。同時に、提案をした。

「桃谷君、おいしいアイスティーをおごってあげるから、ついてきてくれる？」

「サンドイッチとスパゲッティを付けてくれるなら、いいですよ」

給料日前なのに、なんてことを言い出すのか。

いや、わかっていて条件を出したのだろう。

背に腹はかえられない。こくりと頷いて、純喫茶『やまねこ』に誘ったのだった。

桃谷君は日傘を手に、退勤する。桃谷君が持つ傘は、仕込み刀なのだ。

夏のある日、長谷川係長と戦って折れてしまったはずだが。

「あれ、鬼殺しの刀、直ったの？」

「おかげさまで。修理代、五万円でした」

保険をかけていたらしく、五万円だけで済んだという。

刀の保険っていったいなんなの？　と思ったが、話が長くなりそうだったので突っ込まないでおく。

「長谷川係長が責任を取ってくれたので、懐は痛まなかったんですよ」

「そうだったんだ」

きちんと元通りに修繕したというので、ホッと胸をなで下ろす。事件に巻き込んだのは私なので、申し訳ないと思っていたのだ。

「じゃあ、行こうか」

「はい」

会社のある通りから一本路地裏に入った先にある、昔ながらの古き良き喫茶店。

マスターは相変わらず、誰とやってきてもいつもと同じ笑顔で迎えてくれた。

私はいつものアイスティーとサンドイッチを、桃谷君は大盛りナポリタンとカツサンド、それからオレンジジュースを注文した。

「それで、永野先輩、何があったんですか？」

「いや何がって、桃谷君のほうこそ、どうして長谷川係長の異変に気づいたの？」

「え、おかしいのは永野先輩のほうですよ」

「わ、私!?」

「はい。切なそうに、長谷川係長を見つめているときがあったので、これは喧嘩か何かしたんだろうなと。ちなみに、長谷川係長はいつも通りにしか見えませんでした」

桃谷君は捲し立てるように言うと、運ばれてきたばかりのオレンジジュースを一口飲む。そして、してやったりといった表情でこちらを見た。

一方で、私は頭を抱え込んだ。どうやら盛大な墓穴を掘ってしまったようだ。

「へえ、何かあったのは永野先輩じゃなくて、長谷川係長なんですねえ」

「いや、まあ、そ、そうなんだけれど……」

「何があったんですか？」

「桃谷君には関係ないから」

「でも、今、困っているんですよね？」

なんでわかるのか!?　思わず、桃谷君のほうを凝視する。

「いや、永野先輩、顔に全部書いてありますもん。今、とんでもなく大変な状況にいる、誰か助けてくれ、ってね」

桃谷君は図星を槍でどかどかと突いてくる。まったくもって容赦ない。

「事情を説明してくれないんだったら、長谷川係長に聞こうかな」

「それは、ダメ！」

「だったら、永野先輩が今、説明してください」

言葉を失ったタイミングで、頼んだ料理が運ばれてくる。正直食欲はなかったのだが、マスター特製のサンドイッチを前にしたらなんだか食べられそうな気がしてきた。

「ひとまず、食べましょうか！　いただきます」

「いただきます」

ハムとレタスとチーズ。シンプルなサンドイッチだが、中に塗ってあるマーガリンとマヨネーズが絶妙で、パンもしっとりしていておいしい。

何回食べても、マスター特製のサンドイッチは絶品だった。

桃谷君はお腹がペコペコだったのか、気持ちがいいくらいパクパク食べている。

同じ年代の子に比べて痩せているほうなので、たくさんお食べと心の中で語りかけてしまった。

食後は、紅茶とマロンパフェを注文する。

「お待たせしました。紅茶とマロンパフェです」

桃谷君の前に紅茶、私の前にマロンパフェが置かれる。

マスターが奥に引っ込んだタイミングで、紅茶とマロンパフェの位置を交代した。

ゴホンと咳払いし、本題へと移る。

「長谷川係長に聞かれたくないから言うけれど、誰にも言わないでね」

「了解です」

どうせ隠していても、そのうちバレるだろう。だったら、自分から話しておいたほうがいい。

桃谷君に弱みは見せたくなかったが、しかたがなかった。

「この前、長谷川係長と骨董市に行ったんだけれど、そこで不思議な骨董品を発見したの」

あの日について思い出すと、不思議だと感じる。どうして私は、あれほど水晶短剣を欲しいと思ったのか。

「水晶短剣っていう、中世のヨーロッパで作られた呪い(まじな)に使う道具で……。それが突然、長谷川係長の胸に刺さって、私に対する記憶の一部がなくなってしまった、というわけで」

「もしかして、永野先輩への恋心が、きれいさっぱり消えたってことですか？」

「まあ、そう」

「へえ、想像以上に、面白いことになっていたんですね」

「そんな反応だろうと思ったから、話したくなかったのに」

私の言葉を聞いた桃谷君は、満面の笑みを浮かべていた。本当に、いい性格をしている。

「しかし、その水晶短剣ってやつ、呪具でなければ、聖具ってわけですよね」

「そうだろうと、うちに居候している式神も言っているんだけれど」

「だったら、長谷川係長の中にある呪いみたいなものが、祓われたとみていいんじゃないですかね」

「それって、私への恋心が呪いだったって言いたいの？」

「はい」

あっけらかんとした様子で返事をする。

「だって、平安時代から続く恋なんて普通じゃないですよ。時が経つにつれて、想いもどこか歪んでしまうんじゃないですか？」

「そ、それは……」

可能性は否定できない。悔しくなって、拳を握りしめる。言い返す言葉は、見つからなかった。

「長谷川係長の中で消えた恋心が呪いであったとしても、ひとまず水晶短剣について調べなければいけないことはわかってる」

「何か、調査したんですか？」

「まだ」

「他人をぶっ刺しといて、放置ですか。酷い話だ」

「放置じゃない——とは言えない、かも。たしかに、酷い」

これまでひとりでやってきたのに、いざ長谷川係長がいなくなると単独で行動することがどうしようもなく恐ろしくなっていた。

結局私は、自分のことしか考えていない。長谷川係長の失ったものは、私への恋心以外にもあるかもしれないのだ。

しっかり調査しないといけないとわかっているのに、動こうという気になれない。

「桃谷君の言うとおり、私は自分勝手で、我が儘で、酷い女、なんだと思う」

「いや、俺、そこまで言ってないですけれど」

そろそろ動く必要があるだろう。マダム・エリザベスが帰ってくるのを待っているのではダメだ。

「桃谷君、ありがとう。私、頑張るから」

テーブルに五千円札を置いて立ち上がる。すると、桃谷君が腕を掴んで引き留めた。

「いや、ちょっと待ってください。永野先輩、ひとりで調査に行くつもりですか？」

「そうだけれど」

「浅草一、いいや、東京一弱っちい陰陽師なんだから、止めたほうがいいですよ」

「桃谷君、私の心をえぐるの、上手だよね。才能あるよ」

「いや、それほどでもないですけれど」

桃谷君の手を振り払おうとしたが、失敗に終わる。陰陽師としての実力も未熟ながら、腕力も役に立たないようだ。

「永野先輩、契約しませんか？」

「嫌な予感しかしないから、お断りします」

「聞くだけ聞いてください。俺、今回の件、お手伝いしますよ」

桃谷君が手伝ってくれるのならば、心強い。けれど、警戒してしまう。

「でも契約料、お高いんでしょう？」

「いえいえ、良心的な契約です。俺と、付き合ってください」

「はい？」

「彼女になってください」

「いやいや……どういうこと？」

「永野先輩、何回も言わせないでくださいよ」

「桃谷君、前に私のこと好きではなかった、的な発言をしていなかった？」

「あれ、信じたんですか？　嘘ですよ、嘘」

「はあ!?」

好きな女性にあれだけ辛辣な言葉が言えるのか。信じがたい気持ちになる。

「負け惜しみとも言えますすね。だって、どう頑張ったって永野先輩と長谷川係長の縁は断ちきれないですし、そんな状態で恋愛感情を引きずっているの、かっこ悪くないですか？」

「そ、それは……！」

恋愛感情を引きずる気持ちは、よくわかる。今の私も、そうだから。

けれども、桃谷君のこの態度はどうかと思う。

「なんていうか、可愛くない」

「じゃあ、永野先輩お好みの、可愛こぶりっこでいきますので」

小首を傾げ、どうだとばかりにこちらを見つめる。

本当に可愛いのが腹立たしい。

「ぶっちゃけると、長谷川係長の牽制も怖かったんですよね。まあ別に、俺が一方的にビビっていただけで、永野先輩との会話に割って入ってこられたり、個室に連れ込まれて脅されたり、なんてことはなかったんですけれど」

会社での長谷川係長は、プライベートを一切持ち込まないようにしているらしい。そのおかげで、私達の交際はまったくと言っていいほどバレなかった。

「まあ、そんな感じだったので、長谷川係長の変化には気づかなかったんですよね」

「そっか」

「それで、どうなんです？」

「どうって何が？」

「俺との真剣交際についてです」

「いや、普通にないから」

「えー、じゃあ、ひとりで調査するんですか？」

「う、うん」

「怪しい骨董商に、太刀打ちできると？」

どんどん追い詰められていく。気を強く持って、「ひとりでできるんだから!!」と言えない自分が空(むな)しい。

桃谷君の協力は非常にありがたいけれど、でも、お付き合いは絶対にできない。その辺は、はっきりと伝えておく。

「なんて言ったらいいのかわからないけれど、私はまだ長谷川係長と別れたわけではないから」

「いや、永野先輩への恋心がないならば、別れているようなもんでしょうが」

「それでも――」

嫌だ、という気持ちは言葉にならなかった。

「そうですよね。万が一、長谷川係長の記憶が戻って俺と付き合っていたら、気まずいですもんね」

「いや、そういうわけでもなくて」

桃谷君はキョトンとした表情で、私を見つめる。説明が難しいけれど、なんとか言葉にする。

「長谷川係長の、私に対する恋心がなくなったのは、もしかしたらいいことだったのかもしれないって、思っているの」

以前桃谷君が指摘した通り、千年もの恋心は時が経つにつれて恋とは呼べないものになっていたのかもしれない。言葉にするならば、執着だろうか。

「これからの長谷川係長は、前世の想いに囚われることなく、新しい恋をしていくんだと思う」

ここ数日、私の感情はぐちゃぐちゃだった。

しかしながら改めて考えてみると、両想いでなければ不幸だと考えるのは、自分の幸せしか願っていないように思えてきた。

別に私の心が満たされずとも、長谷川係長は幸せになれる。それを願うことこそ、本当の愛なのではないか。もちろん、寂しい気持ちはあるけれど……。

「そういう考えもできるようになったのかも」

ただ、いくら長谷川係長が前世に囚われずに自由に生きるようになったとしても、水晶短剣については調べないといけない。

もしかしたら、他の大事な記憶もなくなっているかもしれないし。

「今は、誰とも付き合う気はなくて。だから、ごめんなさい」

ただ、私ひとりで調査できるとはとても思えなかった。

ここは意地を張らずに、桃谷君に頭を下げる。

「どうか、お願いです。調査に手を貸してくれませんか」

「お付き合いはできないけれど、手を貸せって？　ずいぶんと思い上がった提案ですねえ」

「もちろん、無償（ただ）でとは言いません」

「へえ、何をしてくれるんですか？」

「解決するまで、毎日お昼のお弁当を買ってきます」

「それと？」

「そ、それと、えーっと、お、お菓子を付けます」

「さらに？」

「さらに!?　うーん、う――ん。じゃあ、週に一回、ごはんを奢（おご）ります」

「それよりも、永野先輩の手料理がいいな。お弁当も、買ったやつは飽きたので」

「手料理!?」

腕を組み、考える。家に招くことは難しい。

「どうしようかな。この前みたいに、家に招くのは絶対無理だし」

「だったら、作った料理やお弁当を、鷹に頼んで運ばせるのはどうですか？」

「そんなこと、できるの？」

「できますよ。鷹は力持ちですので」

鳥デリバリー。便利かもしれない。

「わかった。じゃあ、お弁当は毎日、ごはんを週に一回作る。これでどう？」

「いいですよ」

まだ何か要求してくるのかと身構えたが、協力の対価は以上でＯＫだという。ホッと胸をなで下ろす。

「だったら、これで契約は成立ね」

「そうですね」

「じゃあひとまず、これからこの名刺にある骨董店に行ってみようか」

「げっ、今からですか？」

「うん。何か予定ある？」

「ないですけれど。この時間帯は閉まっているんじゃないですか？」

「何か怪しい結界がないか、調べたいの」

「はいはい、わかりました」

了承してくれたので、安堵した。

もしも店主が呪(のろ)いや呪(まじな)いに詳しい人なら、夜に強力な結界を張っているだろう。

今の時間帯は調べるのにうってつけだった。

ひとりで行くのは怖かったので、桃谷君の協力はありがたい。

そんなわけで、味方を得た私は水晶短剣についての調査を始めることとなった。

◇◇◇

早速、桃谷君と調査に乗り出したのだが――出端(ではな)をくじかれる。

浅草秋季骨董市で入手した名刺に書かれた店舗に直接足を運んだのだが、そこは空き店舗だったのだ。

近くにあった居酒屋で話を聞いたら、そこは一年くらいお店が入っていないという。

一年前は婦人服を扱うお店で、その前は金物店、その前はレンタルショップと、営業は長く続かず入れ替わりが激しかったらしい。

ここ最近はオーナーが海外暮らしをしているとのことで、ずっと空いているようだ。

してやられたと、その場でうな垂れる。

まさかと思って名刺にあった電話番号にかけたが、「現在使われておりません」というアナウンスが空しく流れるばかりであった。

名刺に嘘情報を書くなんて。途端に店主本人が怪しく思える。

もしかしたら、水晶短剣が普通の骨董品ではないと知らないで販売していたのかも、なんて考えていたのだが……。

想定以上に重大な事件に巻き込まれているのではと、頭を抱えてしまった。

このような状況でも、桃谷君はとくに動揺していなかった。

本格的な調査は休日にしましょう。そう言って、その日は解散となった。

これから、いったいどのように調べて回るというのか。

桃谷君任せにするのも悪いので、一応、浅草の骨董品を扱うお店を調べてピックアップしてみる。そこをしらみつぶしに探したら、見つかるだろうか。

不安だけが募る。

第三章

陰陽師は桃太郎と調査する（※ただし、対価が必要）

長谷川係長の記憶がなくなってから、早くも一ヶ月が経った。

水晶短剣で胸をひと突きされたにもかかわらず、長谷川係長の体調には問題がないらしい。

私はといえば、桃谷君とともに調査を続けている。

名刺に書かれていた情報が嘘だとわかってからというもの、浅草にある他の骨董品店に焦点を絞って調べている。

一軒一軒、水晶短剣をこれまで取り扱っていなかったか、しらみつぶしに電話をかけている最中だ。

今のところ、情報はゼロ。がっくりと、うな垂れてしまう。

昼休みも、お弁当を十分で食べてデスクに戻り、スマホで調べ物に精を出す。

集中していると、背後から声をかけられ、悲鳴をあげそうになった。長谷川係長が気配もなく、至近距離に立っていたから。

「あれ、永野さん、お昼はもう食べたの？」

「あ、はい。食べました」

「そっか。熱心に見ていたけれど、何か調べ物？」

「あ、えっと……」

言えない。長谷川係長の胸に刺さった水晶短剣について検索していたとは。

久しぶりに近くで見たが、長谷川係長の様子に異変はない。肌つやもいいし、目の下にクマなどはない。邪気を溜めている様子もなかった。

これまで、私が定期的に邪気祓いをしないと具合が悪そうにしていたのに、どういうことなのか。

もしかしたら、記憶と一緒に鬼の部分もなくなってしまったとか？

長谷川係長の記憶がないので、確認する術はない。

「調べ物もいいけれど、ゆっくり休むことも大事だからね」

長谷川係長はそう言って、個包装のチョコレートを私の手にちょこんと置いた。

「じゃあ、午後もよろしくね」

「はい」

去りゆく後ろ姿を見ながら、やっぱり好きだなと思ってしまった。

もう二度と彼の特別な笑顔が私に向くことはないと思うと、切なくなる。

口に含んだチョコレートは、少しだけ苦かった。

本日は桃谷君と調査をする日である。そこで、あるお菓子を用意するように言われていた。それは、『きびだんご』である。

桃太郎伝説でおなじみのお菓子だが、岡山名物としても有名らしい。

このきびだんごには、いろいろと謂(いわ)れがあるようだ。

なんでもその昔、岡山を『吉備(きび)の国』と呼んでいた。また、多くの黍(きび)を生産していたことから、黍を使った団子が作られるようになったのだという。

吉備の国で栽培された黍を使って作ったお団子が、きびだんごというわけである。

そもそもきびだんごは、神様にお供えする神聖な食べ物だった。

その後、とある茶人が茶菓子として振る舞うようになったのがきっかけで、広く愛されるようになった。

鬼退治のお供に、神様へのお供え物に、岡山旅行のお土産に、大変縁起のよいお菓子として愛されているようだ。

自分でも調べてみたが、壮大な歴史がありそうだった。

今はそれよりも、きびだんごの作り方のほうが重要である。

そもそも、調査にきびだんごがなぜ必要なのか。よくわからないものの、言われた通り作るしかない。

材料は糯黍（もちきび）、白玉粉、砂糖、塩、水、きなこ。糯黍を使ってお菓子作りをするのは初めてである。

糯黍というのはイネ科の植物で、日本には弥生時代辺りから存在すると言われているらしい。粟（あわ）、稗（ひえ）よりも粒が大きくて、他の穀物に比べて生育期間が短く、どんな地域でもわりと元気に育つのが特徴だとか。

食感はもっちりしていて、ほんのり甘みがあって粘り気がある。栄養豊富で、健康意識の高い人達の中で密（ひそ）かな人気となっているらしい。

そんな糯黍を使って、きびだんごを作る。

まず、洗った糯黍を鍋に入れて、水と塩を加えてしばし煮込む。

糯黍に煮汁を吸い込ませ、鍋に蓋をしてしばらく蒸らしておく。

粗熱が取れたのを確認し、めん棒で潰す。

この糯黍を、砂糖を加えた白玉粉に入れて一緒に練っていく。生地がまとまってきたら、丸めて沸騰した鍋に入れるのだ。

団子がぷかぷか浮いてきたら、茹で上がったサインだ。

ツヤツヤの団子にきなこをまぶしたら、おなじみのきびだんごである。

ひとつ味見をしてみると、いつものお団子にはないコクと素朴な甘みを感じた。

「うん、おいしくできてる！」

食品保存容器にきびだんごをせっせと詰めていたら、ジョージ・ハンクス七世から声がかかった。

『おい、遥香。マダムから手紙だ』

そう言って、落ち葉が手渡される。

マダム・エリザベスはこの一ヶ月間、独自に水晶短剣について調査してくれているのだ。三日に一回くらいの頻度で、落ち葉に書いた報告書を風に乗せて送ってくれる。

「何だろう。えーっと」

——思いがけず、見目麗しい店員がいる喫茶店を発見しました。本日は暖かくって、よい昼下がり。エリザベス・ハンクス二世。

『いや、なんのこっちゃって感じだな』

「う、うーん。でも、元気そうでよかった」

調査に収穫はないのだろう。その代わりなのか、イケメン発見情報を送ってくれる。

『まったく、真面目に調査しているんだか』

「頑張っていると思うよ」

『お前は、誰にでも甘いな』

「そんなことないって」

と、暢気にお喋りしている場合ではない。そろそろ、集合時間だ。

服は適当に引っ張り出す。ブラウスにジャケットを合わせて、下は歩きやすいようにデニムパンツ。靴はスニーカーだ。

髪はひとつに結んで、化粧は薄めに施す。

カジュアルなキャップを深く被(かぶ)り、花粉避(よ)けの眼鏡をかけた。これで、ひと目では私だとわからないだろう。

せっかく長谷川係長とのお付き合いを隠していたのに、桃谷君と一緒にいるところを目撃されたら困る。そう思い、ささやかながら、変装したのだ。

『おい、遥香、なんだその恰好――って、長谷川とのデートじゃなかったな』

「桃谷君と、水晶短剣について調べに行くんだ」

『そうか』

手を差し出すと、ジョージ・ハンクス七世はちょこんと跳び乗ってくる。

ふわふわの体に頬を寄せたら、よしよしと撫でてくれた。

「頑張らなくちゃ」

『無理はすんなよ。お前はすぐに空回りするからな』

「うん、ありがとう」

ジョージ・ハンクス七世を鞄に入れ、出発する。桃谷君とは、マンションの入り口で集合することにしていた。

外に出たが、桃谷君の姿はない――と思いきや、三頭のセントバーナードに囲まれてうめき声を上げている青年の姿を発見する。

顔は見えないが、確実に桃谷君だろう。

桃太郎の生まれ変わりである彼は、犬や鳥、猿に好かれてしまう体質なのだ。

どうしようか。さすがに、セントバーナード三頭には太刀打ちできない。

飼い主の姿はないので、警察か。そう思っているところに、太い散歩紐(ひも)を握った男性が走ってやってくる。

「す、すみません、それ、うちの犬です。何かされませんでしたか？」

「あー、大丈夫ですよ。優しく手を舐められていただけです」

「す、すみません！」

セントバーナード達は、桃谷君との別れを惜しみながら去って行った。

「あ、永野先輩」

「今日も大変だったね」

「モテる男は困ります」

あまり気にしていないようで、ホッとする。

手を舐められてベタベタだというので、マンションの裏手にある水場まで案内した。

携帯していたハンドソープも分けてあげる。

ふと気づく。本日の桃谷君は、私と同じようなキャップにジャケット、デニムパンツを合わせていた。まるで、示し合わせてきたような恰好である。

桃谷君も気づいたのか、改めて私の恰好を頭のてっぺんからつま先まで見たのちに、コメントする。

「なんか俺達、ペアルックみたいですね」

「偶然にもね」

はあ、とため息をついていたら、思いがけない展開となる。

「あれ、永野さんと桃谷君？」

聞き覚えがありすぎる声が聞こえた。恐る恐る振り返ると、そこには長谷川係長の姿があった。

同じマンションに住んでいるから、鉢合わせするのは別に不思議でもなんでもない。それなのに、跳び上がるほど驚いてしまった。

ハイネックのセーターに、パンツを合わせた恰好の長谷川係長の手には、マンションの裏通りにあるコンビニの袋がぶら下がっていた。

初めて見る服装だ。カッコイイと、心の中にあるカメラのシャッターを切っていたら、まったく想定にない質問を投げかけられてしまう。

「もしかして、これからデート？」

「いや、違っ――」

「ご想像にお任せしまーす！」

桃谷君が余計な一言を返す。何を言うのだと睨んだが、いじわるな笑みを返すばかりであった。

おまけに肩を組んできたので、手の甲を思いっきり抓る。

「デートではありませんし、交際もしておりません」

「そうなんだ。お揃いの服を着ているから、てっきりデートかと」

「まったくの、偶然なんです！」

桃谷君がボソボソと「そこまではっきり否定しなくても」と非難めいた囁きを口にする。長谷川係長の中に私に対する恋心がないとはいえ、絶対に勘違いはされたくなかったのだ。

「俺達、ケータリングカーが集まるイベントに行くんですけれど、長谷川係長もどうですか？」

桃谷君の言葉にギョッとしたものの、長谷川係長はすぐに断った。

「今日は家でのんびりしようと思っていたんだ。また、次の機会に誘って」

残念なような、ホッとしたような、複雑な心境だ。

今日の目的地は、先ほど桃谷君が言ったように、ケータリングカーが全国から集まるイベントである。そこでどうやって調査を行うのか、まったく想像が付かないが。

「ふたりとも、人が多く集まる場所はトラブルがつきものだから、気を付けてね」

「はーい」

長谷川係長と別れたあと、桃谷君を尋問する。

「なんで長谷川係長を誘ったの？」

「永野先輩が俺と付き合っている設定を嫌そうにしていたので」

「ついてきたらどうするつもり？」

「いや、来ないと確信していたので、誘ったんですよ」

コンビニの袋には、あんまんとホットの緑茶が入っていたらしい。たしかに、そのふたつを買っていたら、急な誘いには応じないだろう。

「桃谷君、策士だ」

「洞察力が優れているって言ってくださいよ」

マンション前から、バスに乗って移動するという。

「歩いても十分くらいだから、バスじゃなくてもいいんだけれど」

「いや、絶対バスのほうがいいですって。なぜならば――」

バッサバッサと、大きな羽音が聞こえた。巨大なミミズクが、どこからともなく飛んで来たのだ。

「うわぁ!!」

「桃谷君、バスが来た!!」

ミミズクが桃谷君めがけて降り立つ前に、素早くバスに乗り込む。なんとかミミズクの襲来は回避できた。

なんでも仕事がある日よりプライベートのほうが、犬や鳥、猿を寄せ付けやすくなるそうだ。仕事の日は動物達も遠慮しているらしい。

「そんなわけなので、バスのほうが、いいでしょう？」

「うん。桃谷君といるときは、絶対にバスで！」

「なんか、すみません」

「いいよ。ミミズク、初めて見られたし。すっごく大きかったね」

「ですね。プテラノドンかと思いました」

「たしかに、それくらい迫力があったかも」

あっという間に目的地の公園前にたどり着いた。バスを降りてすぐ、スズメが集まってくる。今日は大事な用事があるんだと桃谷君が言ったら、すぐさま解散となった。

公園の広場には、百台以上のケータリングカーが並んでいた。

沖縄から北海道まで、全国各地の名物料理が大集結している。

「うわー、けっこう賑わっているね」

「とんでもない行列です」

白クマに見立てたかき氷――鹿児島県の白熊や、アメリカ海軍を通じて伝わったハンバーガー――長崎県の佐世保バーガー、コシが強いうどん――香川県の讃岐（さぬき）うどん、出汁で食べるたこ焼き――兵庫県の明石焼き、カレーの付け合わせにキャベツがどかんと載ったカレー――石川県の金沢カレー、さといもと和牛、豚、アスパラガスを使ったコロッケ――岩手県の北上コロッケなどなど、各地域自慢の食材を使った名物を売るケータリングカーが所狭しと並んでいた。

しかし、しかしだ。

残念ながら、私達の目的はケータリングカーの名物料理ではない。

広場を通過し、人が少なく日当たりの悪い通りのベンチに桃谷君は腰かける。すぐ隣をポンポンと叩いたが、私は少し離れた位置に座った。

「さてと、始めますか。永野先輩、きびだんごは持ってきましたか？」

「もちろん」

鞄の中からきびだんごを入れた食品保存容器を取り出す。蓋を開いて見せた。

「ひとつ味見しても？」

「ええ、どうぞ」

摘まんだきびだんごを、パクリと一口で食べた。

「うん、おいしい。これだったら、大丈夫ですね」

「大丈夫？」

「はい。今から、仲間達に調査をお願いするので」

仲間とはいったい？　疑問を口にする前に、桃谷君はピュウッと指笛を鳴らした。

すると、どこからともなく、半透明の犬や鳥、猿が集まってきた。

「なっ、これは、なんなの？」

「犬と鳥と猿の、霊体ですね」

三十以上いるだろうか。集まると、なかなか迫力がある。

「永野先輩、やっぱりこういうの、視えるんですね」

「普段は、あまり気にしないようにしているんだけれどね」

「怪異はともかくとして、霊体は視えにくいんですけど」

霊体というのは、肉体を失って魂だけの状態を呼ぶ。

人が死んだときは、天国や地獄から使いがやってきて、ふさわしい場所へと誘って
くれるらしい。

ところが、一部の動物達は導きの範疇外にあって地上に留まっている。

飼い主がいる場合は、飼い主がいる天国に連れて行ってもらえるのだろう。ところ
が、それ以外の動物達は数の多さから、地上に残されたままになっているようだ。

霊体の状態は、まっさらと言えばいいのか。

その状態で邪気に中てられたら、怪異となってしまう。

逆に、善い気の影響を大きく受けたら、神社を守護する神使に選ばれるようだ。

「そんなわけで、この子達はフリーなんですよ。きびだんごと交換に、調査を手伝ってもらうんです」

「ああ、なるほど」

集まった動物達に事情を説明し、手伝ってくれるという子にきびだんごを配った。

みんな、はぐはぐとおいしそうに食べてくれる。とてつもなく可愛かった。

なるべくたくさん作ってきてほしいと言われていたが、なんとか全員に行き渡ったようでホッと胸をなで下ろす。

「じゃあ、よろしく！」

片手を挙げた桃谷君がそう言うと、霊体の犬や鳥、猿は散り散りになっていく。

去りゆく後ろ姿は、太陽の光に当たるとすうっと消えていった。

「あの子達、どれくらいで戻ってくるの？」

「うーん、それはまちまちですね。たぶん一、二時間は暇なので、ケータリングカーを見に行きましょうよ」

「私はいいよ。もしかしたら、すぐ戻ってくる霊体もいるかもしれないし。桃谷君、ひとりで行ってきたら？」

「えー、ひとりはつまんないですよ」

どうやら、単独で行く気はさらさらないらしい。だらりとした姿勢で、ベンチに座ったまま待機している。

冷たい風が吹く。公園の木々はすっかり紅葉し、秋一色といった感じだ。落ち葉が風に流され、くるくると舞っている。まるで落ち葉の舞踏会だ。

今日は結構肌寒い。ダウンジャケットでもよかったかもしれない。

「桃谷君、何か温かいもの、買ってこようか？」

「いや、いいです」

「ケータリングカー、興味あるんでしょう？」

「あるにはあるけれど、ああいうのって誰かと一緒に行くから楽しいんでしょうが」

「気持ちはわかるけれど」

「だったら、一緒に行きましょうよ。ちょっと行って帰ってくるならば、大丈夫ですって」

「でも、霊体の子が戻ってきたとき、誰もいなかったら悪いし」

「霊体なんて、テキトーに待たせておけばいいんですよ。あいつら、時間は無限にあるんだから」

「そうかもしれないけれど、せっかく協力してくれているのに、戻ってきたら誰もいなかったとか可哀想でしょう？」

「あー、永野先輩って、くそ真面目だな」

ぼやくように言って、小さな男の子みたいに拗ねてしまった。

よほど、ケータリングカーの催しを楽しみにしていたのだろうか。せっかくの休日なのに、付き合わせて悪いなと思わなくもない。

「うーん、わかった」

「何がですか？」

「ちょっと待ってね」

鞄を開くと、ポーチの中にすっぽり収まったジョージ・ハンクス七世と目が合う。

「ジョージ・ハンクス七世、ここで待機して、霊体が来たら相手をしていてほしいのだけれど、頼める？」

『別にいいぜ』

「ありがとう」

ジョージ・ハンクス七世は鞄から飛び出し、ベンチの上に下りたつ。

腰に手を当てて、キリリとした表情で前を見据えていた。

「おっ、式神ハムスター。かっこいいー」

桃谷君がジョージ・ハンクス七世を、指先で突こうとする。

ジョージ・ハンクス七世はその手をぺちんと叩いた。

「うわ、酷い！」

『何が酷いだ！　お前のせいで、遥香が悩んだり、困ったりしていたのを、忘れていないからな！』

「あー、なるほど」

これ以上喧嘩にならないよう、ジョージ・ハンクス七世と桃谷君の間に割って入る。

双方、大人しくしてくれたのでホッと胸をなで下ろした。

「えっーと、ここの番はジョージ・ハンクス七世がしてくれるみたいだから、少しだけケータリングカーを見に行かない？」

「いいんですか？」

「うん、いいよ」

「やった！　じゃあ行きましょう」

自然と手を差し伸べてきたが、握るわけがない。すぐに、桃谷君はがっくりと肩を落とす。

「勢いで握ってくれると思ったのにー！」

「その手には乗らないから」

「残念」

ジョージ・ハンクス七世に霊体の対応を頼み、ケータリングカーが並ぶ広場に移動した。

相変わらず、どこもすごい行列だった。

「こういうの、デートだったら彼女と並んでイチャイチャしながら時間潰すんですよねえ」

「時間がもったいないから、別々に並ぼうか」

「それがいいですね」

サイトにアクセスして、どんな料理があるのか調べる。

「うーん、どれもおいしそう！」

「なんか腹減ってきたので、ガッツリ食べたいですね」

桃谷君はしょっぱい系、私は甘い系で攻める。ひとまず解散し、各々食べたい品を買ってベンチまで戻ることにした。

調べてみると、パンケーキやソフトクリーム、フルーツ大福にドーナツなど、意外と種類豊富だった。

どうしようか迷っていたら、バターのいい匂いがふんわりと漂ってくる。

今が旬の青森のリンゴを丸ごとパイ生地で包み込んだアップルパイが販売されているではないか。

迷うことなく、行列の最後尾に並んだ。

焼きたてを販売しているようで、待ち時間は三十分とあった。

スマホを見ると、桃谷君から連絡が入る。ちょうど待ち時間が三十分の、北海道の塩焼きそばの列に並んでいるらしい。

同じタイミングでベンチに戻れそうだ。

それにしても、かなりの人達が並んでいる。盛況のようだ。

やはり、カップルが多い。

羨ましくなってしまうので、なるべく視界に入れないようにする。

意外と早く購入できた。自販機でウーロン茶を買ってベンチに戻る。

『おう、遥香、早かったな』

「うん。思っていたよりも早く順番が来たんだ。霊体は戻ってきた？」

『いや、まだだ』

「そっか。お留守番、ありがとうね」

『別に、これくらいなんてことない』

「さすが、ジョージ・ハンクス七世」

役目を終えたジョージ・ハンクス七世は、鞄の中へと戻って行く。

それから十分と経たずに、桃谷君も戻ってきた。手にはふたり分の塩焼きそばと、缶コーヒーと紅茶が握られていた。

「あ、桃谷君も飲み物買ったんだ」

「はい。永野先輩、いつも紅茶飲んでいると思って」

塩焼きそばとの食べ合わせを考えて、脂を分解してくれるウーロン茶を買ってきた。だが、アップルパイには紅茶だろう。ありがたく受け取った。

「これ、永野先輩の分です」

「わー、ありがとう」

桃谷君のチョイスは、オホーツク海の魚介とタマネギをふんだんに使った塩焼きそば。大きなホタテがどーんと、存在を主張していた。スープも付いていたようで、体が温まりそうだ。

「永野先輩は何買ってきたんですか？」

「じゃーん！　リンゴをそのままサクサクのパイ生地で包み込んだ、丸ごとアップルパイ！」

「うわ、テンション上がるやつですね」

「でしょう？」

塩焼きそばから食べる。まずは、麺から。

もっちもちの麺に、魚介の深いだしがこれでもかと絡んでいる。麺だけでこんなにおいしいなんて。これは、シンプルな塩のみの味付けで大正解だろう。

大ぶりのホタテは口に含むとほろほろ崩れて、ぎゅっと噛むと旨みのエキスがじゅわーっと溢れてくる。

「なんだこれ、おいしすぎます！」

「海のおいしさが、ぎゅぎゅっと凝縮されているね」

日本一の出荷量を誇るという北海道産のタマネギは、甘くてシャキシャキだ。これが、濃い味付けの麺とよく合うのだ。

途中で、温泉卵を割る。黄身に麺を絡めて頬張った。

「――っ!!」

言葉にならないおいしさだ。旨みにまろやかさが加わって、味わいにさらなる深みが出てくる。

「おいしい、本当においしい！　桃谷君、ナイスチョイスだよ」

「自分の勘に、間違いはありませんでした」

ありがとう、オホーツク海の魚介塩焼きそば。感謝しつつ、空っぽとなった容器の蓋を閉じた。

紅茶を飲んでほっこりしたあとは、アップルパイをいただく。フォークも何もないが、そのまま齧るのが正解なのだろう。

勇気を出して、えいやとかぶりつく。

パイ生地は当然ながらサクサク。バターの風味が、豊かに香っていた。

中には甘露煮のリンゴが入っている。甘酸っぱくて、おいしい。

塩焼きそばを食べたばかりだったが、ペロリと食べ尽くしてしまった。

「お腹いっぱいで動けないかも」

「俺はまだまだいけそうですが、最近太り気味なので、これくらいにしておきます」

「太り気味って、痩せているのに」

「五キロくらい太ったのですが」

「まだ痩せて見えるから、大丈夫だよ。育ち盛りなんだから、たくさん食べて」

「育ち盛りって、高校生くらいじゃないんですか？」

「そうだけれど」

比較対象が長谷川係長だからか、桃谷君の細さが心配になるのだ。

残りのきびだんごもお食べと、差し出してしまう。

「そこまで言うんだったら、食べますけれど」

そんな会話をしているうちに、霊体達が戻ってきた。

最初にやってきたのは、柴犬（しばいぬ）っぽい霊体である。

「お疲れ」

口に何かを銜（くわ）えていた。手に取ると、それは骨董品買い取りますというチラシだった。受け取った瞬間、霊体の犬は消えていった。

「あ、このイラスト！」

チラシに描かれている、サングラスにアロハシャツ姿のおじさんが、骨董市にいた店主そっくりだった。

「私、このおじさんから水晶短剣を買ったの」

住所は書かれていなかったが、電話番号の記載がある。名刺の番号とは別のものだった。さっそく、電話してみたのだが——。

『この電話番号は現在使われておりません』

「ええっ、そんな……！」

そのあとも、同様のチラシが届けられる。電話番号はどれもバラバラで、使われていないものばかりであった。

「な、なんてこった！」

「この店の店主、絶対何かやってますね」

「もしかしたら、浅草にはいないのかな？」

「どうでしょうね。でも、これだけ豊富な種類のチラシを浅草周辺で発見できたので、この土地に執着しているような気もしますが。在庫を抱えているのならば、どこかに潜伏しているはずですよ」

「なるほど。たしかにそうだよね」

最後の霊体であるカラスがカアカアと鳴きながら戻ってくる。嘴に銜えていたのは、手書きのビラだった。

「これは——？」

「祖母の遺品を捜していますか？」

ビラには一枚の写真が印刷されていた。青花の皿である。

青花とはなんぞや。スマホで調べてみる。青花というのは、中国で作られた青く美しい模様が特徴の磁器だという。

歴史は古く、多くの品々が世界各地に輸出され、愛されていたようだ。

そんな青花の皿をサングラスにアロハシャツの男に見せたところ、盗まれてしまったらしい。その男と連絡が取れないのでどうにもできない、知っている情報があれば提供してほしい、ということだった。

「あー、うさんくさい品を売るだけでなく、盗みまで働いていましたか。俺達の他にも、捜している人がいるみたいですね」

電話番号と一緒にSNSのアカウントもあった。アクセスしてみたが、まだ犯人は捕まっていないようだ。

「ってか、この人特徴的な恰好をしているのに、まだ捕まっていないんですねえ」

「もしかしたら、隠密か何かの呪術を使って渡り歩いている可能性もあるのかも？」

「あー、かもしれないですね。サングラスとアロハシャツという恰好じゃなかったら、普通に暮らせますもんね」

ひとまず、今日の調査はここまで。桃谷君とはここで解散となる。

「桃谷君、力を貸してくれてありがとう」

「いいですよ。永野先輩の弁当のおかげで、最近節約できているんで。同期から弁当作りの腕が急に上がったって評判なんです」

「お願いだから、私が作っているってバレないようにね」

「わかっていますよ」

お弁当は会社で渡すと交際しているのでは？　と疑われるため、変わった方法で手渡している。それは、毎朝桃谷君がベランダに鷹を送り込んでくる、というもの。エアコンの室外機の上にお弁当を置いておくと鷹がやってきて、桃谷君のもとまで運んでくれるのだ。食べ終わったお弁当箱も、家に帰ると室外機の上に置かれている。きっと、朝と同じように鷹が運んでくれるのだろう。

ごはんのほうも同様に、食品保存容器に詰めた食事を、鷹が運んでくれる。なんともメルヘンなやりとりをしているわけだ。

「桃谷君、今日は何かごはん作る？」

「あ、いや、いいです。このあと、同期会があるんで」

「そうだったんだ。忙しい日だったんだね」

「まあ、そうですね。じゃあ、また」

「うん、またね」

桃谷君と別れ、スーパーに寄ってから帰宅する。

今日も今日とて、元気に出勤。

一日頑張るぞ、と気合いを入れていたら、隣のデスクの杉山さんの、聞き捨てならない独り言を耳にしてしまう。

「うわ、やばっ!!」

自分のスマホではなく、パソコンを覗き込んでの発言であった。確実に、仕事関係の「やばい」だろう。

元教育係としては、無視できない。仕方がないので声をかける。

「杉山さん、どうかしたの？」

「頼まれていた出張のホテルの予約、忘れていたんです」

「早くしなよ。出張先で何かイベントがある日は、取りにくくなるから」

「それが、なんかこの世の終わりかってくらい宿が空いてなくて、調べたらイベントがある日だったんです！　佐賀のバルーンフェスタ！」

「うわ、やばっ！」

思わず、杉山さんと同じ叫び声を上げてしまった。

佐賀のバルーンフェスタといえば、大会期間中八十万人を超える人達が来場する九州でも屈指の人気イベントだ。

そんなタイミングで、佐賀に出張なんか行かなくてもいいのに。

「それよりも、どうして後回しにしていたの？」

「いや、楽勝で取れると思っていて」

「どこの地域にも、宿が取りにくいシーズンがあるから、宿の確保は頼まれたらすぐにって教えたでしょう？」

「そうなんですけど、ここ最近、バタバタしていたので後回しにしていたんです。永野先輩に教わったこともすっかり忘れていて、典型的なうっかりミスです。本当に、すみませんでした！」

潔く謝ってくるので、これ以上責められなくなった。

私も、うっかりミスはある。杉山さんは普段からしっかりしているが、こういう日もあるだろう。思いのほか、しょんぼりしていたのでポンと肩を叩く。

「私も一緒に探してあげるから」

「永野先輩！」

　大丈夫だとはっきり言えないのが悲しいところだが、頑張るしかない。

　そこから、杉山さんとふたりで宿探しである。しかしながら、基本的にサイトはすべて完売。宿に直接連絡しても、キャンセル待ちなら……と言われてしまう。

　確実に確保しておかないといけない。出るかわからないキャンセル待ちをするわけにはいかなかった。

「最悪！　これ、人事部の大平部長の出張なんです」

「うわ、もしも宿が確保できなかったら、私達じゃなくて長谷川係長が文句言われるやつだ」

　何がなんでも、宿の予約を勝ち取らなければならない。

　私達は昼休みも返上して宿探しをする。目を皿のようにして探したが、ないものはないのだ。

「あっ!!」

「杉山さん、宿、あった？」

「ラブホなんですけれど、いいですか？」

「よくないよ!!」

この日一番の大きな声を出してしまった。

一瞬、もうラブホでいいじゃん……と思ってしまった自分への叱責でもあった。

「永野さん、何がよくないの？」

「うわあああっ！」

突然、見目麗しい顔に覗き込まれて心臓が口から飛び出るかと思った。

イケメンテロを起こしてくれたのは言わずもがな、長谷川係長である。

「プライベートのトラブル、ではないよね？」

「あ、えっと、はい」

パソコン画面は宿の予約サイト、デスクには旅行代理店のパンフレットと、見ようによってはプライベート旅行の予定を立てる浮かれた女子ふたりだが——実際は出張先の宿が見つからずに困り果てているのだ。

杉山さんは私の背中に隠れて、ガクブルと震えていた。仕方がないので、しどろもどろに事情を説明する。

「なるほど。バルーンフェスタシーズンの佐賀か」

「長谷川係長、すみませんでした!!」

杉山さんは震える声で謝罪する。

「大丈夫。知り合いの宿が空いていないか連絡してみるから、ちょっと待っていて」

私が言えなかった「大丈夫」を、長谷川係長はさらりと言ってのけた。人がいないほうへ行って電話する。

五分後――指先で丸を作りつつ戻ってきた。

「は、長谷川係長、部屋、取れたんですか？」

「取れた。はい」

宿の名前と電話番号が書かれた紙を手渡してくれる。杉山さんは涙ぐみながら感謝の気持ちを伝えていた。

「本当に、ありがとうございます」

「気にしなくていいよ。通常であれば、出張二週間前なんて、普通に予約が取れるはずだし。この出張が決まったのは先週だから、その時点から宿なんて空いていなかっただろうしね」

たしかに、日にちが前々から決まっているイベントなどは、開催一ヶ月前から宿がないという話を耳にする。依頼があった時に探しても、今と同じ状況だったのかもしれない。

「それにしても、お知り合いの宿とはいえよく空いていましたね」

「サイトに掲載されていない宿だからね。バルーンフェスタのシーズンでも、バタバタするのが嫌で満室にしないようにしているって、以前話を聞いていたから」

「そうだったのですね」

長谷川係長のおかげで、なんとか宿の確保ができた。

「杉山さん、何があるかわからないから、宿の確保は早めにね」

「は、はい！」

「ふたりとも昼休みは三十分余分に取っていいから、昼食をしっかり取るように」

長谷川係長は最後、杉山さんを励ますように手のひらにキャンディの包みを置いて去って行った。

以前、私にしてくれたのと同じように部下を励ます。

長谷川係長は誰にでも優しく、頼りになる上司だ。

もう二度と、私が特別になることはない。そんな現実に突然直面し、胸がズキンと痛んだ。

長谷川係長がフロアからいなくなると、杉山さんが興奮したように話しかけてくる。

「永野先輩、今の長谷川係長、やばくなかったですか？　私じゃなかったら、好きになっていましたよ！」

「あ、うん、すごかったね。えっと、どうして杉山さんは好きにならないの？」

「だって、職場恋愛って、別れたあと超絶気まずくないですか？　私はこの会社で定年まで働きたいので、職場恋愛は絶対無理です」

「そ、そうなんだ」

「それに、長谷川係長は絶対女いますよ！　間違いないです」

彼女がいる――その指摘に、心臓がどくんと大きく鼓動する。

水晶短剣が胸に刺さって一ヶ月。その間に出会いがあって、彼女がすでにできている可能性は大なのだ。

「それに、多分ですけれど、年下の女は恋愛対象じゃないと見込んでいます」

「そ、そうなんだ」

「ええ、間違いないです。きっと五歳くらい年上の、完璧な美女が好きなんですよ。プライベートでは、彼女に甘えたいタイプだと見込んでいます！」

桃谷君といい、杉山さんといい、長谷川係長に対して自由な想像をしてくれる。

なんだかおかしくなって、笑ってしまった。憂鬱な気持ちも、少しだけ吹っとぶ。

「杉山さん、お昼ごはん食べようか」

「そうですね」

いまだに、長谷川係長に対する感情は複雑としか言いようがない。

このままずっと、いい上司でいてくれたら、恋心も消えてなくなるだろうか？

どうか、そうであってほしい。

叶(かな)うことのない恋を、いつまでも秘めておくのは悲しすぎる。

今はただ、胸が焦がれるような想いを我慢するしかなかった。

第四章

陰陽師は記憶を失った鬼上司と交流する？（※ただし、ご近所付き合い）

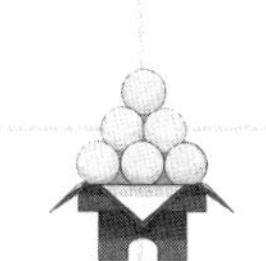

紅葉していた葉は風に乗ってどんどん散っていった。深まった秋はそろそろ終わってしまうのだろう。

吹く風は冷たい。それ以上に、私の心は冷え切っているような気がした。

長谷川係長の私に対する特別な感情が消え去っただけで、こんなにも精神的に参ってしまうとは……。

このままではいけない。気持ちを入れ替えなければ。

今後は、もしかしたら長谷川係長の記憶が戻るかもしれないと、期待するのも止めよう。

買い物にでも出かけようか。新しい服でも買ったら、気分も上がるかもしれない。

「よーし！　久しぶりにオシャレするぞ」

気合いを入れているところに、マダム・エリザベスが戻ってきた。

『ただいま帰りましたわ！』

「マダム・エリザベス!!」

ベランダからの帰宅である。渡り鳥の背中に乗って、ここまで帰ってきたらしい。

『長い間、お待たせしてしまい、申し訳ありませんでした』

「いえいえ、調査、ありがとう」

『大した成果はなかったのですが、水晶短剣について知り合いの式神が詳しく教えてくれましたの』

水晶短剣――それはかつて、悪魔退治を生業としていた悪魔祓い師が作った武器のひとつらしい。

『悪魔に狙われた女性が、悪魔を前にしたときに使う道具だとお聞きしました』

「悪魔祓いの道具、か」

大抵の女性は、悪魔を前にすると身動きが取れなくなる。それは、悪魔の魅了とも呼ばれているのだとか。

水晶短剣は悪魔の魅了を弾(はじ)き返し、急所である心臓に吸い込むような呪(まじな)いがかけられているようだ。あのとき自然と体が動いたように感じたのは、気のせいではなかった。さらに、急所に水晶短剣が刺さった瞬間、悪魔に目を付けられた人に対する執着を封じる効果を発揮するという。

「長谷川係長は悪魔ではないのに……」

『もしかしたら、過去に先祖が悪魔と交わっていたとか？』

「そ、それは、どうだろう」

ここで気づく。海外の人から見たら、鬼も立派な悪魔なのだと。

『悪魔や怪異が人に化けて、人間と子を生している、なんて話は昔からよくありますのよ。たまに、人間界でも耳にするでしょう？　奇跡を起こす人間の話を。そういう者はたいてい、先祖に悪魔や怪異を持つ者なのですよ。あのお隣さんも、あれほどの容貌を持っているということは、それらの可能性を否定できないでしょう』

「そ、そっか」

マダム・エリザベスは鋭い指摘を、ずばずば口にする。そのたびに、私の魂がヒュンヒュンと悲鳴をあげていた。

「記憶がなくなったと思っていたけれど、封じられているだけだったんだね」

『ええ。けれども、封じられたものを取り戻すことは不可能に近いです』

「ええ。そうだろうなと」

『それで、よろしいのですか？　もう一度、好きになってもらうことだって、できるかもしれませんのに』

首を横に振り、それはないと否定する。

長谷川係長が好きなのは、はせの姫だ。その記憶を封じられた今、彼が私に好意を寄せるなんて奇跡は起きないだろう。

それに私と一緒にいたら、陰陽師関連の仕事で迷惑をかけてしまう。

だから今度は、ごくごく普通の女性と平和な毎日を過ごしてもらいたい。

これが、長谷川係長へ対する願いである。

「もともと、私にはもったいないような男性(ひと)だったから。これからもっと素敵な女性と出会って、幸せに暮らしてほしいなって、思っているの」

『遥香さん……』

せっかく帰ってきてくれたのに、しんみりさせてしまった。申し訳ない気持ちでいっぱいになる。

この場の空気を変えなくては。

「マダム・エリザベス、私、お買い物に行ってくる。可愛い服を買ったら、きっと気分も明るくなるから」

『ええ、それがよいかと。わたくしも、同行してもよろしい?』

「もちろん！」

ジョージ・ハンクス七世は留守番をすると言う。そんなわけで、マダム・エリザベスと揃ってデパートへ買い物にでかけた。

このところ、貯金をしようと思って服をあまり買っていなかった。これから寒くなるので、ふわもこのセーターやマフラー、コートを購入した。

それから、地下の食品売り場に寄って、ワインやチーズも購入する。お酒はたくさん飲めるわけではないものの、舐めるように飲むのは好きだ。

マダム・エリザベスは柿が食べたいというので、一緒に購入する。

久しぶりに、両手いっぱいの買い物をしたように思う。

今日のうちにいろいろ料理を作って、明日は一日中だらだら過ごそうか。

「あ、そうだ。織莉子ちゃんがくれたホタテを干したやつを戻して、海鮮おかゆを作ろうかな」

海鮮おかゆには日本酒が合うだろうか。叔母がお中元にもらったものがあったような、なかったような。

そんなことを考えつつ、マンションの廊下を歩いて行く。

「んん？」

お隣さんの前に、何かが転がっている。あれは――!?

「うわっ、あれ、長谷川係長だ!!」

慌てて駆け寄り、呼びかける。

青白い顔色で、額には玉の汗が浮かんでいた。すぐ傍に、医者から処方された薬の入った袋が落ちている。

「長谷川係長、大丈夫ですか?」

「うう……!」

私の声に反応しうっすら目を開けたが、すぐに瞼が下りる。

「うわっ、どうしよう」

念のため、落ちていた薬を確認させてもらった。風邪薬と書いてある。

水晶剣の悪影響ではないとわかり、ホッと胸をなで下ろす。

病院に行った帰りに具合の悪さのピークに襲われたのだろう。そして、自宅前で力尽きたようだ。

どうすればいいのか。思いがけない状況に混乱していると、鞄の中からマダム・エリザベスが顔を出し、叱咤してくれる。

『遥香さん、ぼんやりしている場合ではなくってよ!!　今すぐ、長谷川様を家に運びましょう』

ていなかった。

まずは長谷川係長の部屋の鍵を探さなければならない。ズボンのポケットには入っ

「あ、う、うん」

「鍵、な、ない」

『コートの内ポケットですわ』

「あ、そ、そっか」

女性物の服には、内ポケットがない。そのため、すぐに思いつかなかったのだ。

意を決して、胸辺りを探る。鍵はすぐに見つかった。

鍵を開けていたら、長谷川係長が苦しげな声をあげる。

「長谷川係長!」

うっすら目を開き、のろのろと起き上がる。部屋の扉を開けてあげると、立ち上がって中へと入っていった。

『遥香さん、彼、なんか危ないから、付き添ってさしあげて』

「え!?」

『どうせ、意識は朦朧としていて、あなたが入ってきたことなんて覚えていませんわ!』

「そ、そうだよね」

お邪魔します。一言断ってから、中へと入らせてもらった。

フラフラとリビングのほうへ向かう長谷川係長は、コートとセーターを脱ぎ捨て、ソファにどっかりと腰を下ろす。

そのまま横になりそうだったので、腕を引いて寝室へと誘った。

「あ、わっ！　長谷川係長、そこに寝たらダメです」

フラフラの体を支えながら、ベッドに座らせる。

「うう、長谷川係長の寝室、初めて入る……！」

これは介抱だ。そう、自分に言い聞かせた。

申し訳ないと思いつつも勝手にチェストを探り、パジャマを取り出した。それを着るようにと、長谷川係長の胸に押しつける。

すぐに服を脱ぎ始めたので、慌てて寝室の外へと脱出した。

何か食べないと薬は飲めない。先ほど処方箋を見たときに薬は食後に、と書いてあった。

レトルトのおかゆでもないかと探したが、カップ麺すら買い置きしていないようだ。

こうなったら、私が何か作るしかないだろう。冷蔵庫を確認させてもらう。

以前自炊を始めたという話を聞いていたが、その言葉を裏切らない、独身男性とは思えない食材が揃っていた。

今日が賞味期限の鶏ささみがあった。どうせ、今日は料理をする元気なんてないだろう。勝手ながら使わせていただく。

鶏ささみと冷凍ご飯を使っておかゆを作ろう。

まず、鶏ささみを煮込み、火が通ったら鶏ガラスープを加える。これにご飯を入れて、卵でとじた。最後に塩で味を付けたら、鶏ささみの卵とじおかゆの完成だ。

本来おかゆはお米から作るのが一番おいしいのだが、今日ばかりは許してほしい。

水とおかゆを寝室に運ぶ。一応、入る前にノックした。返事はなかったが、入らせてもらう。

両手が塞がっていたが、マダム・エリザベスが扉を開けてくれた。

長谷川係長はきちんとパジャマに着替え、ベッドの上に上体を起こした状態でいる。

『遥香さん、わたくしはジョージ・ハンクス七世に事情を話してまいります。何かご用がありましたら、名を叫んでくださいませ。隣の部屋ならば、契約などなくとも聞こえるでしょうから』

「うん、ありがとう」

マダム・エリザベスは一礼し、長谷川係長の寝室から去っていく。

ふたりきりとなった部屋で、声をかけた。

「あの、長谷川係長、おかゆを作りました。食べられますか?」

相変わらず意識は朦朧としているようだが、こっくりと頷いた。

サイドテーブルに置いたが、ちらりと一瞥(いちべつ)するだけで手に取ろうとしない。ぼんやりと、視線を宙に向けたままであった。

こうなったら、おかゆを食べて薬を飲むのを確認するまで家に帰れないだろう。

ふー、と息を吐き出し、腹を括(くく)る。

サイドテーブルの近くにあった椅子をベッドの近くに引き寄せて、れんげを手に取る。おかゆをくるくるとかき混ぜてよく冷まし、それを長谷川係長の口元へと持っていった。

これは看病、看病なのだと言い聞かせ、お決まりの言葉を投げかける。

「はい、長谷川係長、あーん」

無視されたらどうしようかと思ったが、長谷川係長は口を開いた。十分冷ましたおかゆを食べさせてあげる。

きちんと食べてくれたので、ホッと胸をなで下ろした。水を飲ませつつ、ゆっくりとおかゆを食べてもらった。

それから薬を飲むところまで見守った。これで、私の役割は終わりである。

額の汗を拭ってやり、羽根布団を被せてあげた。

最後まで、長谷川係長の意識ははっきり戻らなかったけれど、あとは薬がどうにかしてくれるだろう。顔色も、ほんのり赤みが戻ったし、たぶん大丈夫。

立ち上がろうとしたら、腕を摑まれる。

「――へ!?」

弱い力であったが、逆に振り払えなくなってしまう。

不安なので、誰かここにいてほしいということなのか。

玄関前で力尽き、意識も朦朧とするほどの風邪である。放ってはおけない。

明け方まで、ここにいて看病してあげよう。長谷川係長が目覚める前に、家に戻ればいいのだ。

「ここにいますから、ゆっくり休んでください」

そう声をかけると、安心したのか長谷川係長は瞼を閉じた。一分も経たないうちに、スースーという寝息が聞こえる。

早く元気になりますように、と願う夜だった。

「うっ……!」

閉め忘れたカーテンから、太陽の光がさんさんと降り注ぐ。

長谷川係長の容態を見守り、明け方になったら帰ろうという計画だった。それなのに、うっかり眠って朝を迎えてしまった。

椅子に座っていたのに、いつの間にか布団の端に頬を預け、熟睡していたようだ。

立ち上がろうとしたものの、長谷川係長の手が腕を摑んでいるのに気づく。

手を離そうと手首を摑んだら、長谷川係長はもぞりと動いた。

「ん、誰……?」

作戦失敗。どうやら起こしてしまったようだ。気まずく思いつつ顔を覗き込んだら、驚いているようだった。

「あの、すみません。私——」

「あれ。永野、さん?」

「はい、そうです」

長谷川係長はしばしフリーズしていたが、大丈夫かと顔の前で手を振ったらハッとなった。

「永野さん、ごめん！」

慌てた様子で私の腕から手を離し、起き上がる。

「昨日、玄関先で倒れたの、夢だと思っていたけれど、もしかして現実だった？」

「いや、まあ、はい」

「申し訳ない。助けてもらった挙げ句、看病までしてもらって、さらに家に引き留めるなんて」

「い、いえ。どうかお気になさらず。倒れるほど具合が悪い人を、ひとり置いておくのも心配だったので」

「本当に、ありがとう」

長谷川係長は感極まった様子で、私の手を握る。そのまま深々と頭を下げた。

「後日、何かお礼をさせてくれる？　このままでは、申し訳ないから」

「だったら――」

長谷川係長に願うことなど、ひとつしかない。まっすぐ目を見て、気持ちを伝えた。

「ずっと健康でいてください」

「え？」

「我らが総務課の、大事な係長ですので」

「永野さん……！」

もう、限界。これ以上、長谷川係長と話していたら涙を流してしまいそうだ。

何回か招かれたこの部屋には、彼との思い出がたくさん詰まっていた。あの時のような甘い時間は二度と訪れないだろう。

私がいていい場所ではない。早く去らなければ。

「昨日のおかゆの残りを冷蔵庫に入れてあります。食欲があるようでしたら、召し上がってください。お薬も、飲むのを忘れないでくださいね」

どうぞお大事に、と捲し立てるように言ってから、長谷川係長の部屋を飛び出す。

自宅に戻ると、玄関で蹲(うずくま)ってしまった。

『遥香さん……』

『遥香……』

マダム・エリザベスとジョージ・ハンクス七世が、なかなかリビングに入って来ない私を迎えにやってくる。

彼らは何も言わずに、涙を流す私を静かに見守ってくれた。

◇

また、いつもと同じ日常が始まる——そう思っていたのに、私と長谷川係長の間にささやかな変化が訪れた。

「永野さん、おはよう」

「お、おはようございます」

月曜日の朝——マンションのエントランスでばったり会った長谷川係長は、ここ最近は見せなかった営業スマイル以外の笑みを見せてくれた。

「土曜日は、ありがとう。すっかり元気になったよ」

「いえいえ」

朝からイケメンの満面の笑みは眩しすぎる。

まるで、太陽のような明るい笑顔だ。蠟(ろう)で固めた翼で太陽を目指すイカロスの気分を、これでもかと味わった。

「今日は早いね」

「コンビニに寄ろうと思いまして」

「偶然だね。俺もなんだ。よかったら一緒に行かない？」

笑顔で頷くだけだったが、心の中では「はい、よろこんでー！」と叫んでいた。

距離を取ろうとか、恋を諦めようとか、いろいろ考えていたのに、こうして長谷川係長に話しかけられると、ついつい舞い上がってしまう。

きっぱりと、ひとりで行きますと言えたらいいのに。

マンションから出て、裏通りのほうへと曲がったら、ばったりと桃谷君と鉢合わせする。今日は肩にハトを乗せていた。いったいどこから一緒だったのか。

「わ、長谷川係長に永野先輩、おはようございます。偶然ですね」

「おはよう」

「おはよう、桃谷君」

「えー、なんで一緒なんですかー？　怪しーい」

「永野さんとは、同じマンションだからね。エントランスで偶然会ったんだよ」

「知っていますけれど、同じ会社の人と、偶然エントランスで会います？」

「こうして会っているわけだから、なんとも言えないのだけれど」

「まあ、そうですよね。こっち側に来たってことは、コンビニかどこかに寄るんですか？」

「そうだけれど」

「奇遇ですね。俺も、コンビニに行くんです。一緒に行きましょう」

そんなわけで、桃谷君と三人（＋ハト）でコンビニを目指すこととなった。

私の目的は今日発売の、人気チョコレートメーカーのコラボパンとスイーツ。無事ゲットできた。

ここからは各々行こうという話になっていたので、先にコンビニを出る。てくてくとのんびり会社を目指した。

あっという間に一日は過ぎ、ひとり家に帰る。エレベーターに乗り込み、ボタンを押そうとしたらバタバタと走る足音が聞こえた。『開く』のボタンを押して、しばし待つ。

やってきたのは、長谷川係長だった。

「すみません――って、やっぱり永野さんだったか」

「お疲れさまです」

「お疲れ」

今日は早めに上がれたようだ。まだ風邪も全快ではないだろうから、ゆっくり休んでほしい。

「あ、そうだ。お昼に外に出たときに、会社の前にケータリングカーが来ていて」

鞄から取り出し、私に差し出したのはメロンパンだった。

「木下課長がここのメロンパンはおいしいって言っていたんだ。よかったらどうぞ」

「あ、ありがとうございます」

こんなふうに優しくされたら、また泣いてしまいそうになる。気持ちを強く持たなければ。

長谷川係長からしたら、きっと看病のお礼なのかもしれないけれど。

「とても、嬉しいです」

「よかった」

エレベーターから降りて、扉の前まで歩く。この時間がいつまでも続けばいいのにと思うが、すぐにたどり着いてしまった。

「じゃあ、また明日」

「はい」

長谷川係長からもらったメロンパンには、板チョコが一枚挟まっていた。オーブントースターで焼くと、表面はカリカリ、中のチョコレートはとろーり。極上のメロンパンとなった。

幸せ気分になっていたら、ジョージ・ハンクス七世より釘を刺される。

『おい遥香、ちょっと長谷川に優しくされたからといって、浮かれているんじゃねえ

――』

『何を言っていますの!?』

マダム・エリザベスは小さな体で、倍以上の大きさのジョージ・ハンクス七世を持ち上げた。

『どわっ、な、何をするんだよ！』

『遥香さんのお楽しみを邪魔するなんて、許せませんわ！』

『あー、もう！　わかった、わかったから！』

観念したジョージ・ハンクス七世の体は、すぐに下ろされる。

「えーっと、なんていうか、ふたりともありがとうね」

ジョージ・ハンクス七世は私を心配し、注意してくれたのだろう。長谷川係長が私の想いに応えることはありえないから、何があっても期待するな、と伝えたかったのかもしれない。一方でマダム・エリザベスは、私は長谷川係長への感情はわきまえているので、いろいろ言うなとジョージ・ハンクス七世に物申したのだ。

双方、私のことを想うがゆえの発言なので、どうか喧嘩はしないでほしい。

『あー、もう！　何もかも、長谷川が悪い！　あいつは鬼なんだから、わけがわからん魔法だか呪い(まじない)だかなんて弾き返せばいいのに！』

『鬼？　ジョージ、あなた今、鬼と言いました？』

『いや、鬼じゃなくって、おにーさん……。お、お兄さん、だ』

『いいえ、はっきり鬼、と言いましたわ！』

ジョージ・ハンクス七世はくしゃくしゃな顔で私を振り返る。言ってしまったからには仕方がない。

それに、マダム・エリザベスはここまで私に協力してくれた。本当のことを話さなければと思っていたのだ。

「えーっと、あのね、マダム・エリザベス、ここだけの話にしてほしいんだけれど……実は、長谷川係長は鬼、なの」

『な、なんですって!?』

マダム・エリザベスは跳び上がるほど、否、実際に跳び上がって驚いた。

『鬼……鬼――鬼!?』

「うん、鬼」

すると突然、マダム・エリザベスは四つん這いになり、毛を逆立てた。同時に、マダム・エリザベスが立つテーブル全体に呪文が浮かび上がる。

高位の呪術だ。初めて見た。と、感心している場合ではない。これは、隣に住む長谷川係長に向けられた攻撃だ。

「だ、だめ!!」

両手を広げ、長谷川係長の部屋を守るように立ちはだかる。すると、マダム・エリザベスはハッとなった。呪文も消えていく。

『ご、ごめんなさい。わたくしったら。式神風情が、鬼に勝てるわけがないのに』

「そんなことはないと思うけれど……」

長谷川係長は悪い鬼ではない。何度も私を助けてくれた。伯父、叔母をはじめとする永野家の人間が関わった『ホタテスター印刷』で起こった事件は、長谷川係長なしには解決できなかっただろう。

そう、マダム・エリザベスに伝える。

「だから、攻撃はしないでほしいの」

『え、ええ。そう、ですわね。ごめんなさい。わたくし、カッとなりやすくて』

「私達のほうこそ、隠していてごめんなさい」

ミスター・トムにも言われていたのだ。自分は口が堅いけれど、式神ハムスターの中には血気盛んな者もいる。安易に長谷川係長について話さないほうがいい、と。

『トムが話していた血気盛んな者とは、おそらくわたくしのことでしょう』

「そ、そうだったんだね」

たしかに、瞬間湯沸かし器みたいに怒って、攻撃を繰り出そうとしていた。

マダム・エリザベスは私が思っている以上に、強い力を秘めているのだろう。

「あの、お願いがあって……ご当主様はもちろん、義彦叔父さんにも内緒にしていてほしいんだけれど」

『もちろんですわ。浅草の町に鬼がいると知って、一家総出で退治にこられても、負けるのは目に見えていますもの』

「やっぱり、そうだよね」

『当たり前です。もともと、永野家は退魔の一族ではありませんから』

「癒しの一族なんだよね?」

『ええ。遥香さん、あなた、よくご存じですのね。まあ、過去の話であるのですが』

こうなったら、洗いざらい話す。実は、癒しの力を持っているのだと。

話し終えたが、マダム・エリザベスは目を見開いて硬直したまま、動こうとしない。

「私の癒しの力に気づいたのは、長谷川係長だったの」

『そうでしたのね』

「彼は、親戚や家族にも言わないほうがいいと」

知っているのはジョージ・ハンクス七世とミスター・トムだけ。今回はマダム・エリザベスを信用し、話した。

『あなたは、式神ハムスターをどこまで信用していますの？』

「式神ハムスターは口が堅いのが自慢だって、言っていたから」

『個体差がありましてよ！』

は――――、と深く長いため息をつかれた。

『遥香さん、あなたは本当に、お人好しが過ぎますわ』

「自分でも、そう思う」

陰陽師の仕事だって、ひとりではまともに達成できなかった。さまざまな人の協力を得て、なんとかやってこられたのだ。

「だから、マダム・エリザベス、これからもよろしくね」

『し、仕方がありませんわね』

手を差し出すと、小さな手を重ねてくれた。

長谷川係長が鬼だということも、見逃してくれるらしい。

心から、感謝の言葉を述べた。

◇◇◇

珍しく、勤務中に桃谷君からメールが届く。

なんでも、以前青花の皿を盗まれた被害者と、コンタクトを取ったらしい。

今日の夜に、純喫茶『やまねこ』で会う約束をしているようだ。

昼休み、誰もフロアにいなかったので、桃谷君を捕まえる。

「桃谷君、どうして被害者とコンタクトを取ったの？　私達が提供できる情報なんてないのに」

「詳しい話を聞こうと思ったんですよ。相手もすっかり参っているみたいで、気晴らしに誰かと会って話したくなったんじゃないですか？」

「そうなんだ」

もしかしたら、何か新しい情報を得られるかもしれない。まさか、実際に被害者から話を聞くなんて、思いつきもしなかった。

「そういうの、よく思いついたね」

「刑事ドラマで得た知識ですよ」

「なるほど」

そんなわけで、仕事終わりに青花の皿を盗まれた被害者と会うことになった。

定時に上がり、桃谷君とは純喫茶『やまねこ』の前で落ち合う。

桃谷君はカラスに囲まれていたが、私が近づくと散り散りとなった。

どうやら、前回に引き続き調査をしてくれていたようだ。

「きびだんごを渡さなくてもよかったの？」

「大丈夫です。以前、渡したカラスだったので」

「きびだんごひとつで、たくさん協力してくれるんだね」

「伝説の桃太郎も、きびだんごひとつで鬼退治に連れていっていますからね」

「それを考えたら、桃太郎ってけっこうブラック企業みたい」

「たしかに」

ちなみに、めぼしい情報はなかったという。

お喋りはこれくらいにして、お店の中へと入った。

店内にはすでに、約束を取り付けていた被害者が待っている。想定していたよりも
年若い、大学生くらいの女性だった。

「あの、斉藤(さいとう)さんですよね？」

「は、はい、斉藤です」

「どうも、桃谷です」

桃谷君を見て驚いているようだが、いったいどうしたというのか。

「ん？　何か気になることでも？」

「いえ、あの、桃谷さんは女性だと思っていたので、驚いてしまって」

「あー、すみません」

桃谷君のSNSのプライベートアカウントは、動物の写真のみ。名前も桃谷とだけだったので、女性だと思い込んでいたようだ。

「改めまして、はじめまして」

「はじめまして」

注文していた紅茶とコーヒーが運ばれてきてから、本題へと移る。

「盗まれたお皿について、教えてもらえますか？」

「はい。青花の皿は、祖母の遺品でして。昔からずっと、床の間に飾られていた品でした」

ただ、価値のある品ではなかったらしい。なぜ飾ってあったのか。なんとなく、聞けずにいた。

話し始めると、斉藤さんの顔色が悪くなっている。テーブルの上で握った手も、かすかに震えているように見えた。

「どうかしましたか？」

「あ、いえ。なんでも、ありません」

斉藤さん本人は否定したが、青花のお皿関連で何かあるのだろう。

「なんでもいいので、知っていること、感じたことを聞かせてもらえますか？　調査に役立つかもしれないので」

桃谷君も、隣でこくこく頷いている。

しばらく迷っているようだったが、頼み込んだら話してくれた。

「こんなことを言うとおかしな人だと思われるかもしれませんが……昔からその皿を不気味に感じていたのです。私は昔から霊感があって――」

斉藤さんは極力、床の間のある和室へは近づかないようにしていたのだとか。

「祖母が亡くなったのは、一年前でした」

もう、床の間の皿は片付けてもいいのではないか。そう言って、斉藤さんのお父さんが床の間の皿を、別のものに交換した。

「その翌日、父は交通事故に遭って全治三ヶ月の怪我を負ったのです」

皿を片付けてしまったからだ。斉藤さんは気づいていたのだが、恐ろしくて口にできなかったという。

　その後、親族で形見分けが行われたようだが、皿だけは斉藤家に残ったらしい。

「母が皿をリサイクルショップに売ろうとしたのですが、値段が付かずに戻ってきてしまいました。さらに、そのあと母は倒れてしまって」

　今も寝たきりだという。

「明らかに呪われている。そう気づき、私はお祓いをしてもらおうと、ある霊能者に連絡をしました」

　そこで登場するのが、サングラスにアロハシャツ姿の中年男性である。

「ちなみに、どこで彼を知ったのですか？」

「ちょうど、郵便受けにチラシが入っていたんです」

「チラシ……あの、お祓いは、神社やお寺でもやっているんですよ」

「そうなのですね。知りませんでした」

　正確に言えば神社は厄祓い、お寺は厄除けである。

　厄祓いは穢れを祓い、厄除けは仏様のご加護を賜るのだ。

「でしたら、知り合いの住職さんに、お願いすればよかったですね」

　知り合いの住職に相談した結果、呪われたら目も当てられない。檀家からも、恨まれてしまう。そんな考えが脳裏を過った結果、怪しい霊能者に依頼したようだ。

「やってきた霊能者の男性は、あきらかに胡散臭かったのですが、大丈夫だからと励ましてくれました。その言葉を、どれだけかけてほしかったか……！」

斉藤さんは両親が倒れ、ずっと不安だったのだろう。

だから、盗まれても責める気持ちはなかったらしい。もとより、呪われた皿である。持ち出してくれて、逆にありがたかったという。

「けれど、その日から悪夢をみるようになりました」

顔が溶けた日本兵の恰好をした男が、皿を戻せと斉藤さんを責め立てるのだという。

「恐ろしくて、恐ろしくて。皿を取り戻そうと霊能者の男性に連絡しても、通じなくって」

ビラを配り、SNSで拡散して、自分なりに精一杯捜しているのだという。

それにしても、驚いた。骨董商の他に、霊能者もしていたなんて。

浅草中の骨董を扱うお店を捜しても見つからないわけである。

サングラスにアロハシャツという恰好をしていて、どうして見つからないのかという疑問が一瞬で晴れた。

おそらく呪われた品のお祓いをする振りをして、盗みを働いていたのだろう。

「なるほど、なるほど。大変でしたねえ」

「ええ」

「大丈夫ですよ。心配ありません。実はこちらの女性、陰陽師の先生なんですよ」

「ええっ、ちょっ、桃谷君!!」

なんてことを言うのだと、肩を思いっきり叩いたがびくともしない。意外と筋肉質だ。そういえば、学生時代は剣道部だったと話していたような気がする。

おろおろしている私に、桃谷君がひそひそと声を潜めて耳打ちした。

「永野先輩、どーんと構えていてくださいよ。逆に嘘っぽくなるじゃないですか」

「だって、突然思いがけないことを言うから」

「彼女、邪気を溜め込んでいるんじゃないですか?」

「それは――たしかに」

ただ、斉藤さんの体からジワジワ湧き上がる邪気は、ストレスを溜めやすい人であればこれくらい普通だ。今すぐどうにかしなければならないという量でもない。

ただ、毎晩のように悪夢をみるという話は、非常に引っかかる。

「得意の甘味祓いで、ばしっと祓ってあげたらどうです?」

「いや、得意の甘味祓いって」

「お菓子、持っていないのですか？」

「あるけれど」

いきなり言うので、効力の高い手作りお菓子は持っていない。けれど、もしものときにと持ち歩いている飴はある。

「あの、これ、お祓いの力を込めた飴です。その、悪夢に効果があるかはわからないのですが」

「あ、ありがとうございます」

「いえいえ。なんと言いますか、突然陰陽師だと言われても、信じられないでしょうけれど」

「いいえ。永野さんからは、不思議な気を感じます。他の人達とは違う、特別な存在だと、ひと目見てわかりました」

「だったら、よかったです」

胡散臭い自称陰陽師だと思われていなくてよかった。ホッと胸をなで下ろす。

「とまあそんなわけで、先生が青花の皿を見つけてしっかりお祓いするので、安心してお待ちくださいね。悪夢に耐えきれないときは、連絡してください」

「桃谷さん、ありがとうございます」

勝手に甘味祓いの窓口係になっているが、まあ、いいだろう。

斉藤さんと別れ、純喫茶『やまねこ』を出る。

一歩外へ踏み出した途端、桃谷君を出待ちしていたフクロウが集まってきた。

「うわっ、桃谷君、フクロウが来た!」

「近くで見ると、意外と顔がこわい!」

「本当だ!」

目つきはキリリとしているし、嘴も尖(とが)っている。爪はマグロ漁に使う釣り針みたいに鋭かった。さすが、猛禽類(もうきんるい)。

フクロウは桃谷君に集中する。その隙に、桃谷君の脇を足早に通り過ぎた。

「桃谷君、今日はありがとう。また明日!」

「うわ、永野先輩、人でなし――!」

桃谷君の尊い犠牲は忘れない。明日、お弁当にお菓子を付けておくので、それで許してほしい。

昨日スーパーで大きなカボチャを買ったので、それを使ったお菓子でも作ろうか。

カボチャクッキーに、カボチャパイ、カボチャのプリンにカボチャの蒸しパン。

お菓子との相性は抜群なので、どれにしようか迷ってしまう。

なんてことを考えつつ帰宅した。

夕食は朝仕込んでおいたクリームシチュー。自動調理鍋の予約調理で帰宅時間に合わせて完成するようにしておいたのだ。

ちなみにこの自動調理鍋、叔母がバラエティ番組の景品として手に入れたものである。使わないからと、私にくれたのだ。

蓋を開くと、ほかほかのクリームシチューが完成していた。

「と、その前に、お風呂に入ろう！」

スカートを脱いで洗濯籠に入れた瞬間、チャリと金属音が鳴った。

「チャリ？」

なんの音なのか。洗濯籠を探ると——会議室の鍵がひょっこりと出てきた。

「ヒッ!!」

退社前に長谷川係長に返そうと思っていたのに、すっかり忘れていた。

明日、私は半休を取っている。上京してくる従妹(いとこ)を、羽田空港まで迎えに行かなければならない。

だが、最悪なことに、朝から会議室での会議の予定が入っているのだ。鍵はふたつあるが、そのうちの一個がなければ大騒ぎとなるだろう。

「うわ、どどど、どうしよう!」

上司は隣の部屋だ。けれど、プライベートの時間に返してもいいものなのか。

いや、気にしている場合ではない。

再びスカートを穿き、隣の部屋まで急ぐ。

まだ帰宅していないかもしれない。チャイムを鳴らしたが、反応はなかった。

扉に、帰宅したら連絡くださいと書いたメモを貼っておこうか――。

「あれ、永野さん?」

長谷川係長宅の扉の前でウロウロしているところに、ご本人が帰ってきた。

「は、長谷川係長、おかえりなさい!!」

「ただいま」

言い終えてから、盛大に照れてしまう。上司に向かって、おかえりなさいはないだろう。

長谷川係長も、なんだか気まずそうな表情をしていた。

「す、すみません」

「いや、いいけれど、どうしたの?」

「あ、鍵! 私、会議室の鍵を持って帰ってしまったんです。明日は半休を取っておりまして」

「ああ、そうだったんだ。明日、戻しておこうか？」

「ありがとうございますー！」

神様仏様長谷川様――！　そんな気持ちで、会議室の鍵を差し出した。

「ご迷惑をおかけします」

「いや、いいよ」

「何かお礼を……あ、クリームシチュー食べませんか？　今、できたてなんです」

「え、いいの？」

「はい！　どうぞ、どうぞ」

いそいそと長谷川係長を家に招き、バゲットをカットしているところで我に返る。

鍵の件で喜ぶあまり、とんでもない行動に出てしまったのではないのかと。

台所から少しだけ顔を出し、問いかける。

「長谷川係長、すみません。強引に誘ってしまって。ご迷惑では？」

「ぜんぜんそんなことないよ。お腹空いていたから、嬉しい」

「あ、そ、そうですか」

キラキラの笑顔で言葉を返してくれた。手と手を合わせて、お祈りしたい気持ちに駆られたがぐっと我慢する。

　サクッと召し上がってもらって、早急に帰っていただこう。

「すごいね。帰ってからクリームシチュー作れるなんて」

「朝、自動調理鍋に仕込んでおいたんです。タイマーがあって、帰宅時間に合わせてできあがるんですよ」

「へえ、欲しくなるな」

　長谷川係長の稼ぎがあれば、いつでも買えるだろう。私は一度、通販サイトで値段を調べて、「ひょー!」と悲鳴を上げた覚えがある。

「最近、自炊を始めてね。ずっと外食かコンビニ弁当だったのに、どうして自分で作ろうと思ったのか、まったく謎なんだけれど」

　話を聞きながら、胸が苦しくなる。

　以前、長谷川係長は私の影響で自炊を始めたと話していた。記憶は封じられても、体にしみ込んだ習慣は消えないのかもしれない。

　食事のあと、長谷川係長は長居せずに帰っていった。

　突然の訪問だったので、同居ハムスターに感謝の気持ちを伝える。

「ジョージ・ハンクス七世、マダム・エリザベス、大人しくしていてくれて、ありがとう」

『長谷川の顔が見えた瞬間、殴ってやろうと思ったんだけれどな！』

『遥香さんが幸せそうにしているのを見たら、何もできませんでしたわ』

「そっか」

ようやく気づいた。このまま一緒のマンションに住んでいたら、長谷川係長を意識してしまう。

だから、思いきった行動に出る必要があるだろう。

「なるべく早く、引っ越さないとね」

『ええっ、遥香、お前本気か？』

『ここ以上の物件はないと思いますけれど？』

「そうだけれど――悲しいから」

偶然すれ違って、笑顔で挨拶なんかされたら期待してしまう。

私達は、元の関係に戻れるのではないか、と。

『まあ、お前が決めたことに、いろいろ言うつもりはないがな』

『ええ……』

「ふたりとも、ありがとう」

ぶんぶんと頭を振り、脳内にいる長谷川係長を追い出す。

今度の休日は怪異専用の自動給餌器の補充に行って、そのあと物件を見に行かなければ。

ぼんやりとカボチャのプリンケーキを作りながら、考えたのだった。


翌日――従妹の紫織ちゃんを羽田空港まで迎えに行った。

彼女は母方の従妹で、福岡県に住んでいる中学三年生だ。

東京の高校を受験するとのことで、学校説明会に参加するらしい。

そんな彼女を、高校まで送り届けるのが本日の任務だ。

半日遅れで母親がやってくるというので、そのあとは安心である。

母方の実家は声聞師という、陰陽寮に属さない民間の陰陽師の家系だったらしい。

今でも、怪奇現象が起きたときは、近所の人から相談を受けることもあるようだ。

浅草を拠点とする永野家出身の父と、福岡で民間陰陽師を営んでいた田中家出身の母はどうやって出会ったのか。

親のなれそめなんて聞きにくいが、やんわりと聞けたらいいな。

紫織ちゃんは田中家の中でも霊感が強く、子どものころから怪異が視えていたらしい。そのことで、彼女の母親から永野家に相談することもあったのだとか。

そんな紫織ちゃんに会うのは三年ぶりだ。小学生時代は超絶美少女だったが、どんな感じに成長しているだろう。

到着口で待っていたら、すっかり大人っぽくなった紫織ちゃんがキャリーケースを引きながら駆けてきた。

「遥香ちゃーん！　久しぶり！」

「紫織ちゃん、本当にお久しぶりだね」

白い肌に、猫のようなぱっちりとした瞳、整った鼻筋にふっくらとしていて艶のある唇——どこからどうみても、千年にひとりの逸材系美少女である。長い黒髪はきれいにポニーテールにまとめている。

顔は信じられないくらい小さくて、手足はすらりと長く、私より背が高い。

神は二物も三物も与えたもうた……なんて思ってしまう。

そんな紫織ちゃんが私にぎゅっと抱きついてきた。シャンプーのいい匂いが、鼻先をかすめていく。

「会社休んでまで、迎えにきてくれてありがとう」

「可愛い従妹ちゃんのお願いだもの」

母の実家に家族で行くことは、滅多にない。五本の指で数えられる程度しか行っていないだろう。

数回顔を合わせただけなのに、私はなぜか紫織ちゃんに懐かれていた。

「じゃあ、行こうか」

「うん！」

紫織ちゃんと早めの昼食を取る。せっかく東京にやってきたので、おいしいものを食べさせてあげたい。

ハンバーグがいいか、それともオムライスやグラタンか。その辺を考えていたのに、紫織ちゃんは蕎麦（そば）を食べたいという。なんていうか、渋い中学生だ。

蕎麦を食べたあとは、高校に送り届け、会社へと向かったのだった。

夜——タブレットでドラマを見ながらお菓子作りをする。

叔母が「これおいしいから！」と言って送ってくれた千葉のピーナッツバターを使ったクッキーを作る。

以前、叔母がアメリカに行ったときに教わったレシピで作ってみた。

まず、バターをレンジで軽く温めてやわらかくしたものをクリーム状になるまで混ぜて、ブラウンシュガーを加える。

これにピーナッツバターと溶き卵を入れ、最後に小麦粉と塩、ベーキングパウダーを加えて混ぜた。生地がまとまってきたら、しっかり練るのだ。

棒状にした生地を三十分ほど休ませたあとは、一口大にカットする。

丸めた生地を、フォークを使って十字に押しつぶすのがポイントだ。こうすると、生地に火が通りやすくなるらしい。

オーブンで十分から十五分焼いたら、ピーナッツバタークッキーの完成である。

ただでさえ甘くカロリーがあるピーナッツバターに、さらにバターを加えて作る禁断のクッキーである。

ひとつ味見してみたら、ピーナッツの香ばしい匂いとバターの豊かな風味を感じた。ひとつ当たりのカロリーなんて考えたくない。

完成したピーナッツバタークッキーに、邪気祓いの呪術をかける。

これは明日の早朝、自動給餌器に補充するお菓子だ。

ここ最近、休日は一歩も外に出たくなかった。だから、仕事がある日に早起きしてお菓子の補充をしているのだ。

長谷川係長と、休日にお菓子の設置に行った日を、今となっては懐かしく思ってしまう。

彼と一緒だから、休日でも気にならなかったのだ。

過去を振り返ると、空しくなる。

いっそ、出会わなければよかったのに……。

なんて、変えられない運命を願うのは不毛だ。ぶんぶんと頭を振って、長谷川係長への未練を追い出す。

これからは、ひとりでなんでもできるように頑張るんだ。

そう、決意を固めた。


朝——早起きして怪異専用の自動給餌器にピーナッツバタークッキーを入れておく。

一週間ぶりだったが、順調に消費しているようだ。

地平線からほんのり差し込む朝日を感じながら、会社を目指した。

街路樹の木々はすっかり落葉していた。吹く風は冷たい。冬の訪れを感じるが、昼間はまだぽかぽかと暖かい日差しが降り注いでいる。

まだ、ぎりぎり秋だと言ってもいいのだろう。中には半袖で仕事をしている人もいるくらいだった。

なんとか一日の仕事を終えたが、これで終わりではない。桃谷君と共に純喫茶『やまねこ』を目指す。今日も、斉藤さんと会う予定なのだ。

あれから一週間経った。甘味祓いの効果があったのか、気になるところである。

会社を出た瞬間、ニホンザルに追いかけられる桃谷君を目撃してしまった。

すぐに警官がやってきて、猿は捕らえられる。

「桃谷君、大丈夫？」

「いや、大丈夫じゃないです。酷い目に遭いました」

可哀想になったので、クロスワードパズル雑誌の懸賞で当てたホタテの燻製(くんせい)・個包装タイプをひとつ分けてあげた。

「時間、大丈夫？」

「犬や鳥、猿に追いかけられる時間を想定して待ち合わせの時間を決めたので、問題ありません」

「さすがだ」

ただし、駆け足である。なんとか待ち合わせの時間に間に合った。

斉藤さんは私達に気づくと、淡い微笑みを浮かべて会釈した。

「どうも、お待たせしました」

「いえ、時間ぴったりですよ」

全力疾走したので、喉がカラカラだ。ひょっこりと顔を覗かせたマスターに、アイスティーを注文する。

喉を潤したあと、甘味祓いの効果について質問してみた。

「あれから、どうです？　悪夢は続いていますか？」

「いただいた飴を食べた日は、悪夢をみませんでした。効果は絶大です」

渡した飴は六つ。昨晩は食べていなかったので、悪夢をみてしまったようだ。

「ごめんなさい。もっとたくさん渡せばよかったですね」

「いいえ」

悪夢だけでなく、最近続いていた肩こりや腰痛、眼精疲労も治ったらしい。それに関しては甘味祓いの効果ではなく、ぐっすり眠れた結果である可能性も高いが。

「今日、お菓子を焼いてきたんです。よろしかったら、どうぞ。私の手作りなので、飴よりも効果が高いはずです」

「ありがとうございます。助かります。あ、お金を――」

「いや、ダメですよ、永野先輩。きちんと受け取ってください。すべての労働には、対価が必要なんです」

「え、いいですよ」

「で、でも……」

「永野先輩は、助けを求める人全員に無償でお菓子を与えるんですか？　それができるほど、超人だったらいいんですけれど。できるんですね？」

「それは、できない」

「でしょう？　だったら、報酬は受け取ってください」

陰陽師の仕事で報酬を受け取るつもりはなかったが、ここまで言われたら受け取らざるをえないだろう。

「えーっと、どうしようかな」

「ちなみに、お祓いの初穂料は五千円からって話ですよ」

「ちょっと桃谷君！」

「大丈夫です。支払わせてください」

前回と今回の分で一万円を、斉藤さんは私に差し出す。

「うう、心苦しい」

「ありがとうございます!」

私が胸を痛めている間に、桃谷君は笑顔で一万円を受け取っていた。

「えー、もう、桃谷君ってばさあ……」

なんでだろうか、私は正真正銘本物の陰陽師なのに、ぺてんを働いているような気がするのは。

たぶん、隣で一万円札を握って喜ぶ桃谷君のせいだろう。

「あの、斉藤さん、手を、握ってもいいですか?」

「え?」

「お呪(まじな)いです」

不思議そうな表情で、斉藤さんは手を差し出す。

体の不調が治ったというが、まだ目の下にクマはあるし、なんだか辛そうだ。だから、癒しの力を使って回復させようというわけである。

「今から不思議な力を送り込みますので、絶対によくなると願ってください」

「はい」

斉藤さんの差し出した手をぎゅっと握る。目を閉じたタイミングで、癒しの力を使った。

「──っ!?」

何かの映像が、脳裏に流れ込んでくる。

上半身には着物、下半身にはもんぺを纏ったおさげの女性に、日本兵の恰好をした男性の姿だ。

男性が差し出したのは、青花の皿である。

ここで、映像がプツンと途切れた。

「あっ！」

斉藤さんが驚くような声を上げた。

「こ、腰の痛みが、きれいに引いた!?」

「えっと……腰痛持ちだったのですか？」

「はい。アルバイトの品出しで、腰を痛めてしまって。一年くらい痛みが続いていたのですが、嘘みたい！」

きらきらした瞳で感謝の言葉を口にする斉藤さんを前に、しまったと思う。

軽い疲労感を取り除くだけのつもりだったのだ。

隣に座る桃谷君が、チベットスナギツネみたいな表情で私を見つめていた。

「あの、これについては、内緒でお願いします」

「わかりました」

斉藤さんは、とりあえず大丈夫だろう。問題は桃谷君だ。

その前に、先ほど手を繋いだときに見えた映像について質問してみた。

「あの、さっき手に触れたときに何か、昔の記憶っぽいものが頭の中に流れてきたんです。日本兵が差し出す青花の皿を受け取る、おさげ姿の女性なんですが」

斉藤さんはハッとなる。思い当たる人物が、いるのかもしれない。

「それは若いときの祖母……かもしれません」

「斉藤さんのお祖父様は、その、戦争に行かれていたのですか？」

「いえ、祖父は船舶の乗組員だったので、召集の対象外だったらしく」

「そうだったのですね」

仮にだが、兵士の男性は斉藤さんのお祖母様と恋仲で、大事にしていた青花の皿を託したとしたら……。帰ったら結婚しようと、約束していたのかもしれない。

ところが、その兵士の男性は戦死して戻ってこなかった。

恋人に操を立てて、何十年も独り身でいるというのは難しい時代だろう。

「祖母は祖父と結婚し、受け取った青花の皿だけが残った……というわけですか？」

「その可能性は高いですね」

「祖父についてですが事故死だったらしいので、今思えば、青花の皿の呪いだったのかもしれません。一度、処分されそうになった、という話を祖母から聞いたことがあったので」

兵士の男性の死によって、純粋だった恋心は呪いとなってしまったようだ。

変わらぬ想いをずっと抱えているというのは、とてつもなく大変なのかもしれない。

時が経つにつれ人の考えは変わる上に、状況も異なってくるだろうから。

以前、桃谷君は長谷川係長の恋心について、呪いみたいなものだと言った。

斉藤さんのお祖母様の話を聞いていると、そうなのかもしれないと思ってしまう。

「祖母とその男性について、少し調べてみたいと思います」

「わかりました。何かありましたら、こちらに」

今度は桃谷君を介さず、直接連絡できるようにした。

斉藤さんは会釈し、帰っていった。

ふたりきりになった途端、桃谷君が質問を投げかけてくる。

「あのー、さっきの力、なんですか？」

「力って？」

「あーもう、とぼけないでくださいよー。一年治らなかった腰痛を一瞬で治してしまった力のことです」

「ああ、あれね」

なんだろうね、よくわからない。なんて答えて許してくれる人ではないだろう。長谷川係長から、癒しの能力については話すなと言われていた。私もそれがいいと思っていたが――うっかりバラしてしまった。

疲労感を取り除くだけならば、お祓いの一種だと言えたのに。

さすがに、腰痛がきれいさっぱり治るというのはありえないだろう。

「もしかして、永野家の癒しの力が使えるんですか？」

「な、なんで知っているの？」

「今はともかくとして、平安時代辺りでは有名でしたから」

「そうだったんだ」

桃太郎だったときの記憶があるという桃谷君だからこそ、把握していたのだろう。

「永野先輩、それ、誰かに喋りました？」

「長谷川係長と、あと式神ハムスターに」

「それ以外の人には、言わないほうがいいですよ。絶対、ヤバイ奴らに狙われてしまうので」

「えーっと、ヤバイ奴らって、たとえば？」

「ちょっとは想像力を膨らませてくださいよ。映画やマンガで悪役になるような奴らが、永野先輩の能力を目当てにこぞって襲いかかってくるんです。どう思いますか？」

「こ、怖い……！」

喩えを聞いて、ようやく癒しの能力を持つことの恐ろしさを知る。ゾッと、背筋が凍った。

「ま、今回、斉藤さんに使っちゃったので、どうなるかわからないですけれど」

「うん、そうだね」

これに関しては、私がバカだった。もう、取り返しがつかないけれど、今は斉藤さんが他の人に話しませんようにと祈るしかない。

「えーっと、帰ろうか」

「そうですね」

本日桃谷君を迎えたのは、秋田犬二頭だった。秋田犬は柴犬くらいだと思っていたが、けっこう大きくてびっくり。

「秋田犬って、大型犬なんだ！」

「そうなんですよ。もともとは、闘犬、狩猟犬なんです」

「へえ」

二頭もいれば、かなり迫力がある。心なしか、桃谷君は涙目だった。

飼い主が慌てて迎えにきた。

桃谷君との別れを惜しみつつ、秋田犬は路地から去っていく。

夜道にはたくさんの人達が行き来している。

先ほど、桃谷君に言われた言葉を思い出すと、いつもの慣れた道のりも恐ろしく感じてしまった。

「永野先輩、帰らないんですか?」

「あ、えっと、帰るよ」

「そうですか。じゃあ、帰る方向は同じなので、途中まで一緒に行きましょう」

「あ、ありがとう」

てくてくとあとに続いたが、桃谷君の歩く速度が速くて急ぎ足になってしまった。

けれど、今晩はこれくらいの速さがいいのかもしれない。

マンション前にたどり着くと、スーパーの袋を持った長谷川係長と思いがけず出会った。

「あれ、永野さんと――桃谷君？」

「どうも、お疲れさまです」

「ふたりとも定時上がりじゃなかった？」

「ちょっと、お茶を飲んでいたんですよ。ねえ、永野先輩？」

「えーっと、まあ、はい」

「へえ。やっぱり、ふたりは付き合っているの？」

「はい！」

「ちょっと桃谷君、なんで嘘つくの？　あの、付き合っていないので。お茶も、共通の知り合いがいて、一緒に飲んだだけです」

「そうなんだ」

早口で捲し立てたあと、ハッと我に返った。

長谷川係長に誤解されたくないと、ついつい強く否定してしまった。

別に、勘違いされても問題はないのに。

どうしようもなく、未練たらたらだ。一刻も早く、新しい住居を探す必要があるだろう。

「えーっと、桃谷君、また明日」

「はーい」

素直に引き下がってくれたので、ホッと胸をなで下ろす。

そのまま、長谷川係長と一緒にエレベーターに乗り込んだ。

「そうだ、永野さん。実家からお菓子が送られてきたんだけれど、食べるのを手伝ってくれない？」

「お菓子、ですか？」

「そう。独り暮らしなのに、二箱も送ってきたんだ。中に手紙が入っていて、彼女に分けてくださいって書いてあって。彼女なんて、もう何年もいないのに」

「えっ、そうなんですか？　い、意外ですね」

「とっかえひっかえしていると思っていたの？」

「いや、そこまでとは思っていませんでしたが……なんていうか、ははは」

笑って誤魔化したが、長谷川係長の鋭い視線がチクチクと突き刺さる。

「まあ、だいたいは永野さんの想像通りなんだろうけれど、どの女性とも長く続かなかったんだよね」

「はあ」

複雑な思いで、長谷川係長の恋愛遍歴を聞く。

エレベーターの扉が開き、廊下に一歩踏み出した。

「永野さんは、彼氏は？　長く付き合っている人はいたの？」

「いえ……。学生時代はずっと告白された相手となんとなく付き合って、自然消滅、みたいな感じだったかなと。基本的に自分からどうこうというのはなくて、流されてばかり、だったような気がします」

「あるよね、そういうの」

小説や映画になるようなロマンチックな恋が、その辺にごろごろ転がっているわけがない。誰しも、彼氏、彼女がいないからひとまず付き合うことにしたという経験があるはず——なんて己に言い聞かせつつも、それでいいのかなんて思う自分もいた。

長谷川係長もそうだったと聞いて、ホッと胸をなで下ろす。

そんな私が、自分から相手を好きになって、相手も私を好きになってくれたという状況は、奇跡に近かったのだろう。長谷川係長との恋が、最後になればいいなと思っていた。

恋は、儚(はかな)くも散ってしまったけれど。

「永野さんとお付き合いできる人は、きっと幸せなんだろうね」

「どうして、そう思うのですか？」

「一緒にいて、なんだか心が落ち着くから」

お菓子を持ってくるからちょっと待っていて。そんな言葉を残し、長谷川係長は部屋に取りに行った。

残された私の心臓は、バクバクとうるさい音を鳴らしている。

おさまれ、おさまれと願っても、落ち着きそうになかった。

ぼんやりしていたからか、扉が開く音で跳び上がるほど驚いてしまった。

「あ、ごめん。大丈夫？」

「は、はい。すみません」

長谷川係長の手にはふたつの箱が握られていた。

「ごめん、よく確認していなかったんだけれど、お菓子、二種類あるみたいで。栗蒸し羊羹と、栗パイ、どっちがいい？」

「え!?　究極の選択ですね」

最高のチョイスで、どちらもかなり魅力的だ。むむむと迷っていたが、何やら視線を感じる。

長谷川係長を見上げると、にこにこと微笑んでいた。

「あの、何か、面白かったですか？」

「いや、真剣に悩んでいる永野さんが……、その、面白いなって」

指摘されると、恥ずかしくなってしまう。

そもそも、お菓子は長谷川係長に届いたものだ。私が先に選んでいいものではない。

「長谷川係長、お先に選んでください。私、どっちも大好きです」

「いや、俺もどっちでもいいんだけれど。だったら、半分にする？」

「え、いいのですか!?」

咄嗟に発した声は、あまりにも大きかった。廊下の壁に跳ね返り、鳴り響いてしまう。他の部屋は未だ買い手が付かないので、このフロアには私と長谷川係長しか住んでいない。それでも、恥ずかしかった。再び、長谷川係長に笑われてしまったのは言うまでもない。穴があったら飛び込みたい。それくらい、恥ずかしかった。

「永野さん、可愛いね」

「は!?」

上司に向かって、「は!?」はないだろう。

しかしながら、付き合っているときでも真っ正面から可愛いだなんて言われたことはなかった。記憶が封印されたことを感謝すればいいのか。

とにかく、言われ慣れていないので盛大に照れてしまった。

一方、長谷川係長は女性に可愛いと言い慣れているのだろう。実にサラッと言って、何事もなかったかのようにしていた。ただ、私とはたと目が合い、ハッとする。

「あ、こういうの、今はセクハラになるんだっけ？　気を付けなきゃいけないな。なんていうか、ごめん」

「いや、まあ……難しい問題ですよね」

好意を持つ相手から「可愛い」と言われたら、それはもう嬉しい。

ただ、会社の上司が部下のことを「可愛い」と言ったら、アウトになってしまう世の中なのだろう。とはいえ、先ほどの長谷川係長の「可愛い」には性的な意味合いはいっさいなく、幼児に対する「可愛い」と同義な気がした。

「ちょっとだけ部屋の中に入ってきてくれる？　中で分けよう」

「は、はい。お邪魔します」

上品で手触りのよい和紙の包みを開く。栗パイは個包装されていて、おひとり様四つずつとなった。

一方で、栗蒸し羊羹を開封した長谷川係長は、険しい表情で見下ろしている。

「どうかしましたか？」

「いや、栗が片方に寄っていて、カットが難しいなと思って」

「ああ、本当ですね」

真ん中で切り分けると、片方はたくさん、片方はまばらな羊羹となる。

「では、私がこちら側をいただきます」

「いやいや、そっちは栗が少ないほうだよ。多いほうを食べなよ」

「いやいや、お気遣いなく。いただけるだけでも嬉しいので」

栗が多いほうを押しつけ合うこと数分。埒が明かないので、六等分にカットしたものを互い違いに持ち帰ることとなった。もちろん、長谷川係長のアイデアである。

「これでよし、と」

「どうもありがとうございました」

まさか、解決策があるとは思いもしなかった。さすがである。

「栗蒸し羊羹、ひとつ食べていかない？　お茶を淹れるから」

断る理由は特にないので、お言葉に甘えた。

「じゃあ、リビングで待ってて」

ソファに座っておくようにと言われる。人様の家なので、お任せしていたほうがいいのだろう。ただ、上司にお茶を淹れてもらうという状況が、私の心をきゅうきゅうと締めつける。頑張れ私、我慢だ私と、自分で自分を叱咤した。

五分後――長谷川係長がリビングにやってくる。お茶と羊羹が載ったお盆を持って。

「待たせたね」

「滅相もないことでございます」

また、笑われてしまった。何かおかしなことを言ってしまったのか。

「永野さん、たまに変な言葉使うよね」

「私、何か、間違っていました?」

「日本語的には間違っていないんだけれど、若い人があまり使わない言葉を唐突に発するから」

「あまり意識していませんでした」

子どものときから、友達と遊ばずに大人達に交じって陰陽師としての活動に参加していた。そのため、言葉のチョイスもズレているのかもしれない。

「食べようか」

「はい」

そういえば、蒸し羊羹を食べるのは初めてかもしれない。羊羹には蒸し羊羹、練り羊羹、水羊羹の三種類がある。それぞれ作り方に違いがあると聞いた記憶があるような、ないような。一口大に分けて、口に含む。練り羊羹のような、どっしりとした甘さはない。案外さっぱりしていて、食感はもちもち。栗のホクホク感が活きている。

「なんか、お上品！　おいしいです」

「よかった。母が、好物みたいで」

「そうなんですね」

なんでも、蒸し羊羹は練り羊羹ほど日持ちしないそうだ。砂糖を練り羊羹ほど使っていないので、傷みやすいのだとか。食べ物が傷む原因は、余分な水分にあるという。大量の砂糖が含まれている場合、砂糖が水分を吸い取ってくれるので傷みにくくなるようだ。練り羊羹の賞味期限が長いのも、その辺に理由があるのだろう。

「だから、蒸し羊羹は早めに食べてね」

「了解しました」

長居しては悪いと思い、蒸し羊羹をいただいたらすぐに帰る。

玄関先まで送ってくれた長谷川係長は、「また明日」と淡く微笑みながら言った。

その笑顔と言葉が、何よりも嬉しかった。

第五章

陰陽師は鬼上司と相対する

（※ただし、大号泣）

先日、長谷川係長にいただいたお菓子は大変おいしかった。さすが、京都にある老舗菓子店の逸品である。

何かお返しをと思い、昨晩作ったリンゴのパウンドケーキが目に付いた。

しかし、仲良くもない人から手作りお菓子をもらっても微妙な気分になるだろう。

他に何かないかと探してみたところ、先日父が送ってくれたサツマイモがあった。

それを、長谷川係長へお裾分けという名目で持っていこう。たぶん、お菓子のお礼だと言ったら、受け取ってくれないだろうから。

そんな感じで、長谷川係長の家にサツマイモを持っていく。手紙を忍ばせ、ドアノブにかけておこうと思っていたのに、ちょうど帰宅してきた長谷川係長に見つかってしまった。

「永野さん、どうしたの？」

「あ、いえ、その、実家からサツマイモが届いたので、お裾分けをと思いまして」

「そうだったんだ。ありがとう」

袋の中のサツマイモを覗き込んだ長谷川係長は、一瞬困惑した表情を浮かべる。

「あの、ご迷惑、でしたか？」

「いやいや、そんなことないよ。嬉しい」

「今一瞬、困っていましたよね？」

「あー、それは、どうやって食べたらいいのかなって、考えてしまって」

「ああ、そういうことですか」

「いや、普通に煮たらいいんだなって気づいたから、大丈夫」

「煮る!?　サツマイモを!?」

思わず、聞き返してしまう。聞き捨てならない発言だったのだ。

「サツマイモは、煮るよりも蒸したほうがおいしいんですよ」

「でも、うち蒸し器ないから」

「普通の鍋でもできます」

「じゃあ、蒸し方、教えてくれる？」

「わかりました」

双方、時間があったので、今からサツマイモの蒸し方講習を始めることになった。

「蒸し器がない場合は、鍋とざるを重ねて蒸すことができるんです」

鍋に三センチほど水を注ぎ、その上にザルを重ねる。

ザルにサツマイモを置いて、蒸気で蒸すような構造にすればいいのだ。

残念ながら、長谷川係長の台所にいい感じに重なる鍋とザルはなかった。

「大丈夫です。方法はほかにもあります」

フライパンでも、蒸し料理は可能だ。作り方は鍋とは異なる。

「まず、フライパンに水を入れます。その上に、クッキングシートを被せるのです」

その上にサツマイモを置いて蓋をする。何回かひっくり返したら、五十分ほどで蒸かしイモが完成する。

「へえ、簡単なんだね」

「ええ」

「じゃあ、五十分経ったら連絡するね。せっかくだから、一緒に食べようよ」

今回も断る理由はないので、「はい」と答えてしまった。

五十分後――長谷川係長は本当に私にメールを送ってきた。

付き合っているときに使っていたアドレスからだったので、びっくりしてしまった。

私のメールアドレスがスマホに登録されていることについて、何も思わなかったのだろうか。

その辺は呪いなので、違和感を覚えないような仕組みになっているのかもしれない。深く考えないほうがいいだろう。

私はホットミルク持参で長谷川係長の家にお邪魔する。

先ほど蒸したサツマイモは、紅はるかという名前に親近感を覚える品種である。糖度が非常に高く、スイートポテトのような濃厚な甘さが特徴なのだ。

そんな紅はるかとホットミルクは相性抜群なはずだ。そう思って作ってきた。

「サツマイモにホットミルクか。今まで考えたことなかったな」

「おいしいはずです」

フライパンに被せていた蓋を開けると、甘い匂いがふんわり漂ってくる。

蒸し上がったサツマイモは、全体的にくたくたになっていた。

「永野さん、これ、大丈夫？」

「大丈夫ですよ、スプーンで掬って食べましょう」

ホットミルクをカップに注いで、食卓のほうへと持っていく。相変わらずモデルルームのようなきれいな部屋だと思いつつ、椅子に腰かけた。

さっそく、いただく。

皮を剝ぐと、さらに甘い匂いが辺りに満ちる。至福のひとときだ。

サツマイモに蜂蜜をたっぷり垂らしたように、蜜がじんわりと溢れている。当然、驚くほど甘い。

「すごいね、このサツマイモ。品種はなんていうの？」

「紅はるかです」

「永野さんと同じ、はるかなんだ」

「ですね」

思わぬタイミングで、心臓を鷲づかみにするのは止めてほしい。

長谷川係長は私の名前を呼んだわけではなく、サツマイモの品種を口にしただけなのに。

「驚いたな。サツマイモとホットミルクがこんなに合うなんて」

「サツマイモの甘さと、相性ぴったりですよね」

長谷川係長は眉間に皺を寄せ、小さな声で呟く。このサツマイモにバターを載せたらさらにおいしくなるのかもしれない、と。

「バター！　絶対おいしいはずです！」

「試してみよう」

個包装されたバターを開封し、サツマイモの上に載せた。熱で、バターがじわじわと溶けていく。

サツマイモとバターの黄色が眩しく感じられた。

バターが溶けたところを、スプーンで掬って食べた。

「んんっ!!」

「これは、すごい」

バターを加えることによって、さらに濃厚になった。ただ、ほんのり塩味もして、しつこさは感じない。

おいしい、おいしすぎる。この一言に尽きる。

心ゆくまでサツマイモを堪能し、部屋に戻った。

扉を閉めた途端、膝の力がかくんと抜けた。同時に、頭を抱え込む。

リビングのほうから、ジョージ・ハンクス七世とマダム・エリザベスがてててと駆けてきた。

『お、おい、遥香、どうした!?』

『遥香さん、そんなところに座り込んだらいけませんわ』

「う、うん。でも」

『でも？』

『なんだって言うんだ?』

「最近、どんどん長谷川係長と仲良くなっているの。それで、この先長谷川係長から離れるつもりはあるのかと自問したら、答えが出てこなくって」

ジョージ・ハンクス七世とマダム・エリザベスは顔を見合わせたあと、同じ方向に首を傾げていた。

「私、変なこと言った?」

『いや、別に。仲良くなったんだったら、それでいいんじゃないのか?』

『そうですわ。問題は何もなくってよ』

「でも、長谷川係長は記憶を封じられて第二の人生が始まったのに、私に構っている暇はないと思うの」

『それは遥香、お前が決めることじゃない』

『ええ、その通り。お隣さんがお決めになることですわ』

「そうだけれど——あ!!」

『どうした?』

『何か、前世の記憶でも思い出しましたの?』

「ううん、長谷川係長の家に、ミルクパンを忘れたから」

『ああ』

『遥香、お前は本当にドジだな』

「返す言葉もありません」

お菓子のお礼であるサツマイモは渡した。これで、長谷川係長とのやりとりは終わるだろう。そう思っていたのに、忘れ物をするなんて。

このままではいけない。そう思っていたのに――ずるずると関係は続く。

忘れたミルクパンの中に、カボチャが収まっていた。実家から、届いたらしい。

そのカボチャで、プリンを作って渡す。

そんな感じで、お裾分けの応酬は続き、結果的に私は長谷川係長と茶飲み友達みたいになってしまった。

お付き合いしているときですら、こんなに頻繁に部屋を行き来していなかった。こんなはずではなかったのに……。

「どうしてこうなったのか！」

きっぱり断ればいい。それだけなのに、面と向かって誘われると断れないのだ。

「私のへたれ！　いくじなし！　面食い！」

そう。私は長谷川係長を前にすると、ぼんやり見入ってしまう。思考も霧がかかったようになり、気がついたら楽しくお茶を飲んでいるのだ。

　恐るべき、顔面力と言えばいいのか。自分でもよくわからなくなっていた。


　昼休み、空いた時間で物件を探していたら、桃谷君に覗き込まれてしまった。

「あ、永野先輩、引っ越すんですか？」

「桃谷君、他人のスマホを無断で覗き込むのはマナー違反だよ」

「すみません。じゃあ、ちょっと覗きますねー」

「いや、断ればいいっていう問題じゃないから」

　しかしながら、ちょっと面白かったので許してしまう。こうなるのがわかっていて、桃谷君は大胆な行動に出るのだろう。

　これだから、自分に自信がある生き物は困るのだ。

「なぜ引っ越しを？　叔母さんに、出て行くように言われたんですか？」

「ううん、違うけれど……」

　従妹の紫織ちゃんが東京にある高校を受験するという。もしも合格したら、叔母のマンションを管理する権利を譲って私は別の場所に住んでもいいのではないか。なんて考えているのだ。三年間、母親も東京に引っ越してくるというので、問題ない。

これについてはまだ、誰にも相談はしていないけれど。

「従妹って、このまえ羽田空港に迎えにいった子ですか？」

「そう」

「可愛いですか？」

「とてつもなく可愛いよ」

「写真見せてください」

「お断りします」

「ええ、なんでですか！」

「なんとなく」

本当に可愛い子なので、紹介してくれと言われたくないからだ。

「それにしても、お引っ越しとは、本格的にお隣さん離れをするんですね」

「それは、まあ」

「俺のアパート、隣の部屋、空いていますよ。１ＬＤＫで、六万円です。いかがですか？」

「えっ、安っ！　なんで？」

「築三十年の古いアパートで、おまけに事故物件なんですよ。畳を張り替えても張り替えても、どうしてか血が滲んでしまう特別なオプション付きなんです。お隣は、夜に悲鳴が聞こえるみたいで、五万円で貸し出すって、大家さんが言っていました」

「そんな物件、嫌すぎる」

実家に帰ることも考えたが、父からあれやこれやと面倒事を押しつけられたらたまらない。出戻りみたいに言われても嫌なので、今、一生懸命探している。

「あ、そうだ！」

「何？」

「部屋をシェアするのもありですよ、俺と！」

「ないない、絶対にありえないから！」

桃谷君に解散を言い渡し、ため息をひとつ零す。

マダム・エリザベスは『義彦さんの部屋に住めばいいではありませんか』と言う。

叔父は平日は朝から晩まで働いているし、休日はアイドルのコンサートを観るために遠征しているからほとんど家にいない、とマダム・エリザベスは勧めてくれた。

それもいいかもしれない……と考えつつも、叔父にとってはよくないだろうな、とも思う。

独り暮らしを謳歌しているのに、姪が転がり込んできたら迷惑だろう。

どうにかして、独り暮らし用の物件を探さなければならない。

しかし、これまで給料を家賃に充てていなかったので、どうしてももったいないと思ってしまうのだ。

家具、家電も必要になるだろう。

出費について思いを馳せると、切なくなった。

スマホのディスプレイを眺めていたら、メールが一件届く。差出人は、斉藤さんだった。

あれからいろいろ調べてくれたらしい。会って話をしたい、と書かれている。

今日は予定などないし、ノー残業デーだから定時で上がれる。問題ない旨、返信しておいた。

桃谷君は――これから研修に行ったあと、同期で集まって食事会だと話していた。忙しいようなので、斉藤さんとはふたりで会おう。

頑張るぞ、と拳を握った。

ところが、ノー残業デーなのに仕事がどんどこ入ってくる。このままでは終わらないと泣きそうになったが、鞄の中で眠るジョージ・ハンクス七世を覗き込んで、気持ちをほっこりさせた。

できる限り頑張ろう。そう思っているところに颯爽と長谷川係長がやってきて、杉山さんと私、山田先輩の抱えきれないほどの仕事の一部を引き受けてくれた。

「相変わらず、長谷川係長やばいですね。本当に、私じゃなかったら、好きになっていますよ」

杉山さんの言葉に、山田先輩はこくこくと頷いていた。

長谷川係長のおかげで、なんとか定時までに仕事を終わらせることができた。

帰ろうとしたそのとき、研修から戻ってきた桃谷君と目が合った。

「永野先輩、急いで、デートですか？」

「どうしてそう思ったの？」

「なんだかソワソワしていたので」

どうやら、面会に対する緊張感が態度に出ていたらしい。いろいろ明らかになった情報があるとのことで、気になっていたからだろう。

周囲に人がいないのを確認し、低い声で報告する。

「デートじゃないよ。今日、これから斉藤さんと会うの」

「え、じゃあ、俺も行きます」

「今日は同期とお食事会でしょう？」

「あー、いいです。この前も集まりましたし、一丁前に仕事の愚痴を言い合うだけのつまらない集まりなので」

「そんな集まりでも、一年、二年って経ったら集まれなくなるから、行ったほうがいいよ。桃谷君が来るのを、楽しみにしている子だっているから」

いい大人なのだから、約束は守りなさい。そう言うと、桃谷君は渋々と同期の食事会へ参加するために退社していった。

私も、斉藤さんと会うために純喫茶『やまねこ』を目指す。

浅草の大通りから一本路地裏に入ったところにある、雰囲気のいい喫茶店。そこに、斉藤さんが待っていた。

「あ、永野先生。すみません、呼び出したりして」

「いえいえ」

斉藤さんの体の不調を治してからというもの、先生と呼ばれているのだ。恥ずかしいので止めてほしいと言っても、斉藤さんは聞いてくれなかった。今はもう、呼び方の修正は諦めている。

アイスティーが運ばれてきたあと、マスターが奥の部屋へと引っ込んだタイミングで本題へと移る。

「先日、祖父の部屋に張られた畳の下から、写真が出てきまして――」

それは、斉藤さんのお祖母様と日本兵の男性が映った白黒写真だったらしい。

あろうことか、男性の顔が黒ペンで塗りつぶされていたのだとか。

「母に聞いたら、祖父がしたのだろうと。話を聞いて驚いたのですが、祖母と祖父、それからその男性は三角関係だったようなのです」

ひとりの女性を巡り、男性同士がいがみ合う。結果、お祖母様と結ばれたのは兵役から除外された斉藤さんのお祖父様だった。

「祖父は他の男性との思い出深い写真を取り上げ、黒ペンで顔を塗りつぶしてしまったようです」

そして、誰にも見つからないように、畳の下へと隠した。

「祖父が亡くなってから十年後くらいに裏返しを行っていたようですが、誰も写真に気づかなかったようで」

先日、畳を新調するさいに、気づいたらしい。

斉藤さんの母は、祖母と祖父、それから兵士の男性との三角関係について、学生時代に詳しく聞いていたようだ。

「恋の話が好きな年頃ですから、根掘り葉掘り聞いていたようです」

そのおかげで、三人の関係について詳しくわかったようだ。

ひとまず、発見した写真は知り合いの住職のもとへ持っていき、厄除けをしてもらっているという。住職が写真からよからぬものを感じ取ったらしく、持ち帰らずに預かってもらうこととなったようだ。

「永野先生がおっしゃっていたとおり、最初からお寺の住職に任せるべきでした」

ちなみに斉藤さんは私の甘味祓いが効いているようで、悪夢もみなくなったらしい。

あとは、青花の皿を取り戻して、どうにかする必要があるだろう。

「本当に、永野先生にはなんとお礼を言っていいのやら……。ありがとうございます」

斉藤さんは鞄を探り、封筒を取り出す。それを、私に差し出してきた。

「これ、少ないですが」

「え!?」

アルバイトで得たお金を、私に差し出そうとしている。とんでもないと、首を横に振って断った。

「あの、もうお金はいただいているから、大丈夫ですよ。それは、斉藤さんが好きなように使ってください」

「でも、永野先生のおかげで悩みのほとんどは解決しましたし、腰の調子もよくなって。先に渡した一万円だけでは、とても足りないだろうなと思っていたのですが」

「いやいや、十分ですので。それよりも、腰を治した件については、誰にも話していませんよね？」

「ええ。墓場まで持っていきます」

「斉藤さん、ありがとう」

差し出された封筒を、斉藤さんの手ごと握って彼女の胸の前まで押し返す。

「これは、口止め料ということにしておいてください」

「永野先生……」

「もしもこの力のことが広まったら、私の危機なんです。だから、よろしくお願いします」

「わかりました」

封筒をしまってくれたので、ホッと胸をなで下ろした。

「一点、母から気になることを聞きまして」

「なんでしょう？」

「兵士の男性……吉野忠史（よしのただふみ）、というのですが、彼の実家が、その、占いを生業としていたと聞いたのです」

「占い、ですか」

「はい。当時、収入が不安定な職業だっただけに、ふたりの結婚はなかなか認められなかったようです」

「占い師の一族だったというわけですね。わかりました。こちらで、調べてみます」

「よろしくお願いいたします」

マスター特製のサンドイッチをふたりで分け、堪能してから喫茶店を出る。

「斉藤さん、また何か困ったことがありましたら、なんでも相談してくださいね」

「はい、ありがとうございます」

斉藤さんは深々と頭を下げて、丁寧に感謝の気持ちを伝えてくれた。

その後、スーパーに立ち寄り、牛乳とヨーグルト、納豆を買って帰宅する。

エレベーターのあるフロアに繋がるゲートを解錠していると、ばったり長谷川係長と出会った。

「あ、お疲れさまです」

「お疲れ。今帰りだったんだ」

その言葉には、定時上がりなのにどこかに行っていたの？　なんてニュアンスが滲んでいるように感じたが、気のせいだろう。

付き合っているならまだしも、今はただの上司と部下という関係だ。裏なんてないだろう。

「そ、そういえば、この前長谷川係長のお母様が送ってくださったミルクティー味のかりんとう、とってもおいしかったです」

「それはよかった。母といえば――」

長谷川係長は言葉を切り、眉間に皺を寄せる。憂鬱そうな横顔だった。

「どうかしたのですか？」

「いや、母が来年の初めに東京に遊びに行きたいと言っていて、どこかで食事でもって話になったんだ。それで、レストランの目星を付けているんだけれど」

この年になって母親とふたりきりの食事はなかなかきついものがある。と、長谷川係長は切なげな表情で話していた。

嫌だというわけではないが、照れがあるのだろう。

「母は食にうるさくってね。下手なレストランには連れていけないんだ」

一軒、気になるレストランがあるようだが、一度も行ったことがないらしい。

「一度、食べに行ってみようかと思っているんだけれど……。そうだ、永野さん、レストランに付き合ってくれない？」

「わ、私がですか？」

「そう。なんとなく、ひとりでは行きにくい店だから」

長谷川係長との食事だなんて、行きたいに決まっている。けれども、私は長谷川係長離れをしなければと、心に誓っているのだ。

「もちろん奢るから。人助けだと思ってさ。お願いできるかな？」

けれども、ここまで言われてしまったら受けるほかないだろう。

これまで長谷川係長のお母様から、京都のお菓子をたくさんもらっているわけだし。

別に、構える必要なんて欠片もない。

長谷川係長と仲がいいお隣さんとして、同行すればいいだけの話なのだ。

「よかった。断られるんじゃないかって、ちょっとヒヤヒヤした」

「長谷川係長でも、ヒヤヒヤすることとなんてあるんですね」

「あるよ」

少し寂しげな表情に、胸がぎゅっと締めつけられる。

ほのかに感じる孤独に、寄り添ってはいけない。

きっと長谷川係長は前を見据え、前世と切り離された人生を歩もうとしているのだろうから。

長谷川係長とレストランに同行する日となった。一週間前に、ドレスコードがあるからフォーマルな恰好で、という連絡をもらっていた。

母親を連れていくくらいのレストランなので、高級なお店なのだろう。

秋のフォーマルドレスなんて持っているわけもなく、つい先日叔母がクローゼットに置いていった服を借りることとなった。

今回は、マダム・エリザベスが選んでくれた。

私がブラウン系のドレスばかりを選んでいたら、『もっとエレガントな一着を選んでくださいまし!!』と怒られてしまう。

最終的に、ペイズリー柄が刺繍(ししゅう)されたワンピースに決めた。ダーク系の色合いで、ペイズリー柄はドレスの生地と同色の糸で刺繍されたものだ。一見無地かと思いきや、刺繍で模様が施されているという落ち着いたデザインである。寸法もぴったりだった。

『思いきった柄物も、着こなしによっては品よく見えるものですわ。それにこれはハイブランドの最新作ですから、間違いはありません』

「やっぱり、お高いひと品ですよね」

叔母から、クローゼットの中にあるものは自由に着ていいと言われている。感謝の印として、今度お菓子を作って送ろう。

叔母に感謝しつつ、ペイズリー柄のワンピースをまとう。アクセサリーは真珠の耳飾りとお揃いの指輪のみ。襟にリボンがついているので、首飾りは必要ないだろう。

このワンピースに合わせるのは、ゴールドのハイヒールである。全体が暗い色なので、思い切った色の靴を履くといいと、マダム・エリザベスがアドバイスしてくれたのだ。

化粧はいつもより華やかに。

髪型は上下に髪を分けて、ふたつの三つ編みを作る。それをくるくると交差させて、ひとつにまとめてピンで押し込むのだ。真珠のバレッタを差し込んだら、アップヘアの完成である。

身なりを整えると、いつになくソワソワしている自分に気づいた。

こうして、長谷川係長と一緒に出かけるのが久しぶりだからだろう。

別に、デートでもなんでもない。何度もそう言い聞かせているのに、どうにも気分が落ち着かないのだ。

そろそろ時間なので、叔母に借りたカシミアのコートを羽織る。季節的には秋とはいえ、今晩の気温は真冬並みの寒さだ。手袋も必要かもしれないと、ポケットに忍ばせておく。

外に出たら、すでに長谷川係長は私を待っていた。

雑誌から飛び出してきたような完璧な姿に、目が眩みそうになる。

ドレスコードのあるレストランなので、普段よりもきちっとしたものである。

タートルネックのセーターに、ダブルブレストのジャケットを合わせ、上から千鳥格子のポロコートを重ねていた。

なんというか余裕のある大人のオシャレな休日、みたいな服装である。

「お待たせしました」

「うん、待った」

いつもならば、待っていても「今来たところだよ」なんて言うのに。ちらりと顔を見上げると、パッと目をそらされた。

「私、何かおかしな恰好をしていますか？」

「いや、ぜんぜんおかしくない。その、永野さんが可愛かったから、いじわるを言ってしまって……ごめん」

「ええっ!?」

今のが、あの長谷川係長のいじわるだというのか。普段ならば、もっとわかりやすいいじわるを言うのに。

これが新生長谷川係長なのかと、照れた表情をまじまじと観察してしまった。

「永野さん、予約の時間になる。行こう」

「あ、はい」

急ぎ足でエレベーターに乗り、マンション前に待たせていたタクシーに乗り込んで目的地を目指した。

「まさか、タクシーまで用意していたなんて」

「永野さんが踵の高い靴を履いているだろうと思ってね」

「はー、そういう気遣いでしたか！」

長谷川係長、さすがである。

今日のヒールは、普段のパンプスよりも三センチ高い。正直に言えば、タクシーのご配慮はありがたいものであった。

たどり着いた先は、とあるビルの最上階にあるレストラン。

ガラス張りの窓から、とてつもなく美しい夜景が望める。

席についてうっとりと夜のネオンを眺めていたら、視線を感じてハッとする。

長谷川係長が優しい微笑みを、私に向けていたのだ。

とんでもなくいい雰囲気である。プロポーズされる直前くらいの甘さだ。

この瞬間に気づく。勇気を振り絞って、指摘してみた。

「あの、長谷川係長、ここ、絶対にお母様と来るようなお店ではないですよね？」

「言われてみれば、そうだね。どちらかと言えば、デート向けかも。料理の評価だけ気にしていて、どういう場所かまでは調べてなかったから」

眉尻を下げて、少し照れ臭そうにしている。これも、これまで見せてくれなかった表情だった。

記憶が封じられる前は、私に弱みを見せまいと、感情を顔に出さないようにしていたのかもしれない。今の長谷川係長みたいに、いろんな顔を見せてくれたら、恋人になった女性はきっと嬉しいだろう。

……なんてことを考えて、空しくなってしまった。

「よかった、母を誘う前に、永野さんが付き合ってくれて。親子揃って、気まずい思いをするところだったよ」

「お役に立てて、何よりです」

そんな会話を交わしているうちに、料理が運ばれてくる。

シャンパンから始まり、前菜である鴨（かも）のテリーヌに、オマール海老（えび）のビスク、キャビアとフォアグラを使ったパイ、舌平目のソテーに、黒毛和牛の赤ワイン煮込み、デザートはルビーみたいに真っ赤なイチゴが載ったミルフィーユ。

どれもおいしくて、感激してしまった。

「永野さん、どうだった？」

「きれいな夜景といい、おいしい料理といい、夢のような時間を過ごせました」

「そっか」

実に嬉しそうに、私の話を聞いてくれる。加えて、乙女の心を撃ち抜くような言葉をさらっと言うのだ。

「また、こういうのに誘ってもいい？」

長谷川係長みたいな男性にこんなことを言われたら、百人中百人が絶対に頷くだろう。ただ、私は残念ながら対象外である。

私はすでに、長谷川係長とお付き合いした。夢のような時間を過ごしたのだ。

彼みたいな国宝級のイケメンは、ひとりの女が独占してはいけない。そう、自分に言い聞かせる。だから、あらかじめ考えていた言葉をそのまま伝えた。

「せっかくのお誘いですが、応じられません」

はっきり、きっぱりと。ストレートに伝わるように、回りくどい言い方はしなかった。長谷川係長は断られるとは思っていなかったのだろう、目を見開き、信じがたいという視線を私に向けている。

「どうして？」

「な、なんと言いますか、私、予定が決まっているとその日がくるまで憂鬱になるタイプで。当日を迎えたら普通に楽しく過ごせるのですが。でも、せっかく誘っていただいたのに、そういうことを考えるのは失礼だな、とかねてから思っていたんです」

これは、実は嘘ではない。誘われた瞬間は嬉しくて舞い上がるような気分になるが、当日着ていく服について考えたり、上手く相手とお喋りできるかと悩んだり、デート費用について思いを馳せたり、いろいろ考えたら気分が落ち込んでしまうのだ。

よくないと思いつつも、ついつい人付き合いについては上手く立ち回れないでいる。

これは完全に、私が悪い。

そういうわけなので、と素直な気持ちをストレートに伝えた。

「別に、それでもいいよ。面倒だったら、当日断ってくれてもいいし」

「いや、悪いですよ」

「悪くない」

はっきり言われてしまうと、それでいいんだと流されそうになる。

「永野さん、彼氏はいないんでしょう？」

「い、いません」

「だったらいいと思うけれど」

私もそう思います!!　なんて言葉が喉まで出かかったものの、口から飛び出す瞬間で呑み込んだ。さすがイケメンである。自分の誘いに応じない人間がいるとは思っていないのだろう。ごくごく自然に食い下がってくる。

「でも、こういうふうに過ごすとしたら、年が近いほうが話は合うかなって思って」

「でも永野さん、さっき俺がしたカナブンと戦った話、ものすごく笑っていたよね？」

「すみません、カナブンの話はとてつもなく面白かったです」

オシャレなレストランで大笑いするわけにはいかないので、必死になって我慢していた。長谷川係長の実家がある場所は自然が豊かで、毎日が虫との戦いだったらしい。

「他にも、孫の手でムカデと戦った話や、スズメバチを本気で追いかけ回した話もあるんだけれど、永野さんに話せないなんて……」

思わず、顔を覆った。とてつもなく気になる。私がレストラン代を支払うので話してほしい。きっと、長谷川係長はおいしいシャンパンの銘柄とか、面白い映画の話とか、オシャレなトークもできるのだろう。

ただそれらの、男女がデートで交わすようなごくごく普通の話題については、私はまったく興味がない。

長谷川係長はそれがわかっていて、私が楽しめる話を聞かせてくれたのだろう。

今日は長谷川係長自身の話が聞けて、とても楽しかった。

「話が合わないとは、一度も思ったことはないな」

「私もです。けれど──」

うちの会社は同じ課内の恋愛をよしとしない。こうして外で会っているところを誰かに目撃されたら、長谷川係長の出世に影響する。

「やっぱり、長谷川係長にはどんどん出世してほしいなと思うわけです」

「俺は、そう思わない。というか、個人の付き合いについて会社があれこれ言う権利はまったくないと思うよ」

「ええ、その通りだと思います」

何を言っても、長谷川係長には響かないようだった。

埒が明かない。紅茶一杯でレストランに残り続けるのも迷惑だろう。

「もう、帰りましょう」

「そうだね」

行きと同じように、タクシーで家路に就く。

空気はすこぶる重たい。それも無理はない。そうなってしまう言葉を、私は投げかけたのだから。

会話もなく、マンションまでたどり着いた。

明日は日曜日。昼過ぎから、お茶を飲む約束をしていた。けれど、もうそれもしないほうがいいだろう。きっぱりと、徹底的に長谷川係長と決別しなければならない。

私は長谷川係長を振り返り、別れの言葉を伝える。

「また、月曜日に」

奇しくも、記憶が封印された直後の長谷川係長の言葉を、口にしてしまった。

暗に、明日の約束は果たせないというのも、伝わるだろう。

一歩前に踏み出そうとしたが、ぐっと腕を掴まれたので動けなかった。

そのまま引き寄せられ、背後から抱きしめられる。

「あ、あの、長谷川係長!?」

いったいどういうつもりなのか。顔が見えないので、表情からくみ取るのは不可能である。

「永野さんは、本当に酷い女性だね。思わせぶりな行動ばかりして、最終的には振るなんて」

それは否定できないので、唇をきゅっと噛みしめて言葉を呑み込んだ。

「永野さんがだんだん心を開いてくれる様子が手に取るようにわかったから、ひとりで浮かれていたんだ。そもそも、なんとも思っていない女性を、夜景がきれいなレストランに連れていくわけがないのに」

「で、でも、今日は、お母様を連れていくレストランの下見だと」

「わざわざそんなことをする男がいると思う?」

耳元で囁かれた言葉を聞いて、全身がカーッと熱くなった。

私をレストランに誘いたくて、嘘を言ったの?

母親と訪れるようなレストランではなかったと、照れ笑いをしていたのは演技だったようだ。あざとい。実にあざとい。

記憶を封じられても、長谷川係長は長谷川係長だったというわけだ。

「こんな可愛い恰好で来てくれるから、絶対に、間違いなく、自分が本命だと思うに決まっているじゃない」

「や、こ、これは、叔母から借りた服で」

「選んだのは、永野さんでしょう？」

「そ、そう、ですが」

この拘束から、逃げられる女性がいるだろうか。拷問に近い、優しい抱擁である。

声のみ聞こえて、顔が見えないというのもずるい。

「永野さんは俺が好きじゃなくてもいいからさ、付き合ってよ。絶対に、損はさせないから」

「そ、それって……」

「ん？」

聞き返す声が、優しすぎる。ダメだ、ダメだと思いつつも、私は核心に迫る質問を投げかけてしまった。

「長谷川係長って、もしかして、私のことが、好き、なのですか？」

抱擁はさらに強くなり、甘い言葉を返される。

「好きだよ」

もうダメだと思った。眦から、涙が堰を切ったように溢れてくる。

記憶を封じられても、再び私を好きになってくれるなんて。

こんなの、ありえないだろう。

「永野さん？」

心配したのか、抱擁を止めて顔を覗き込んでくる。もう、いい。我慢なんてできない。そう思って、思いっきり長谷川係長に抱きついた。

「ご、ごめんなさい」

「どうしたの？　なんで謝るの？」

「私も、長谷川係長が好きで、ごめんなさい」

返ってくる言葉はなく、ぎゅっと抱き返される。心臓は生き急ぐように早鐘を打っていた。

涙が止まらない。本当にこれでいいのか、今はわからなかった。

けれどきっと、私達は磁石みたいに、離れてもくっついてしまうのだろう。いくら避けようとしても、それは難しい話なのだ。

一度離れて、見つめ合う。

目を閉じた瞬間、そっと唇が寄せられた。小鳥が啄むような、軽いキスだった。それでも、心が幸せな気持ちで満たされていく。甘いひとときを、もう少しだけ味わいたい。そう思っていたのに——想定外の事態に襲われた。

瞼を開いた瞬間、長谷川係長が苦しみ出す。立っていられないのか、その場にしゃがみ込んでしまう。胸を、押さえていた。水晶短剣が刺さった場所である。

「長谷川係長、だ、大丈夫ですか!?」

救急車を呼ぶべきなのか。鞄からスマホを取り出そうとした手を、長谷川係長がぎゅっと握る。

「背中を……拳で、強く、叩いて」

「せ、背中を!?」

「早く」

「は、はい」

どの程度の力を込めたらいいのかわからなかったが、長谷川係長の背中に回り込んで拳を握ってどんどんと叩いた。

すると、カランという物音が聞こえた。長谷川係長の激しい息づかいも、治まる。

いったい何が落ちたのか覗き込もうとしたら、先に長谷川係長が立ち上がった。

「あの、インチキ骨董商!!」

空気がびりびり震えるほどの叫びである。ふと、足下を見てみたら、水晶短剣を踏みつけていた。

「あ、水晶短剣!!」

「永野さん、触らないで！」

振り返った長谷川係長は、さっきまでの長谷川係長と雰囲気が変わっていた。

記憶を失ってからこれまでの長谷川係長は、少し毒気が少なかったように感じる。

今、目の前にいる長谷川係長は、以前と同じ毒気を含んだ眼差し（まなざ）しを私に向けていた。

気づいた瞬間に、ある可能性に気づく。

「あ、も、もしかして、記憶が、も、戻りました？」

「戻った。ごめん」

長谷川係長の記憶が、戻った！

もともと洪水状態だった涙が、さらに溢れて流れ落ちていく。

「永野さん、泣き過ぎ」

「だって、だって長谷川さん、記憶が封印されて、私が恋人だったことも、忘れてしまって」

「本当にごめん」

優しく抱きしめ、慰めるように背中を撫でてくれる。私の中で渦巻く激しい感情が、瞬く間に落ち着いていった。ひとまず、長谷川係長の記憶は戻った。

よかったのか、悪かったのか。それは、よくわからない。

けれど、今この瞬間に感じた幸せな気持ちは、一生大事にしようと思った。

翌日——朝から現状について話し合った。場所は、私の部屋。ジョージ・ハンクス七世とマダム・エリザベスが見守る中で行われる。

長谷川係長は水晶短剣が胸に刺さっている間、鬼の力も記憶と一緒に封じられていたらしい。そのため、邪気の対策をせずとも普通に暮らすことができていたようだ。

ちなみに、その期間の記憶はしっかり残っているらしい。

地味に、実家での虫との戦いを話してしまったことを気にしていた。

「いや、さまざまな虫との奮闘の話、最高に面白かったですよ」

「お願いだから、忘れて」

長谷川係長をからかっている場合ではなかった。話を戻す。

「それにしても、水晶短剣が鬼の力を封じてしまうなんて、すごいですね」

「この悪魔祓いの道具を上手く使ったら、鬼の力も封印できるかもしれない。今の状態では、とても使う気にはなれないけれど」

水晶短剣はジョージ・ハンクス七世とマダム・エリザベスが包帯でぐるぐる巻きにし、封印のお札を貼って神棚に置いてある。

あれをどうするかは、まだ決まっていない。

「なんと言いますか、長谷川さんは鬼の面も含めて、長谷川さんなんだと思います――って、鬼で居続けることも、苦しいですよね。すみません」

「でも、永野さんが助けてくれるんでしょう?」

「それは、もちろんです」

記憶が戻ったのは、私とのキスがきっかけだったと長谷川係長は言う。王子様のキスで目覚める、童話のプリンセスみたいだなと思ってしまった。

「ごめんなさい、私が水晶短剣なんかを買ったせいで」

「別にいいよ。永野さんが前世の鬼を好きだったわけじゃないって、わかったから」

「へ!?」

「ずっと、不安だったんだよね。もしかしたら、永野さんが好きなのは前世の自分だったんじゃないかって」

　まさか、長谷川係長も私と同じようなことを悩んでいたなんて。驚いた。

　ただ、前世と今世の自分について、長谷川係長は私とは異なる解釈をしていたようだ。

「どう説明していいのかわからないけれど、これまでの自分は平安時代の鬼のままだと思っていたし、記憶や意思も前世と今世の自分は同一だと思っていたんだ。けれど――」

　次第に、平安時代の鬼と現代の自分は異なる存在であると気づいたようだ。

　たしかに、夢でみた月光の君は、物静かで感情を表に出さない鬼だった。長谷川係長とは、ぜんぜん違う人物のように思える。

「鬼を追い出そうとしても、意志を主張してくる。自分を乗っ取られるときもあると、感じるくらいだった」

　けれども、今回の件で長谷川係長は気づいたのだという。

「これまで鬼だと思っていたのは、自身の中にある悪い感情だったんだ。追い出せるわけがないんだよ」

　怒り、悲しみ、不安、苛立(いらだ)ち、嫉妬、妬み、憎しみ――攻撃性のあるそれらの意識は、どうにかしたいと思ってもなかなか制御できないものである。

「ずっとずっと、自分の悪いところを鬼のせいにしていたんだ」

長谷川係長は長い間、苦しんでいたのだろう。胸がぎゅっと、締めつけられる。

「だからさっき、永野さんが鬼の面も含めて俺なんだって言ってくれて、本当に嬉しかった。ありがとう」

手を握り、微笑み合った。

「これで終わりだったらよかったんだけれど」

「本当に」

問題は残っている。水晶短剣を売りつけた怪しい骨董商についてだ。

長谷川係長にこれまでの調査を報告する。

「なるほど。相手は呪われた品物をお祓いするというぺてんを働いていたと」

「はい」

「呪いや怪異について、まったく知らないで行動しているようには思えないな」

「そう、ですか？」

「そうだよ。だって普通、一般人が呪われた道具に手を出そうと思う？」

「思わないですね。怖いですもん」

「そうなんだよ」

おそらく骨董商は、呪いの知識のある人物である。長谷川係長は言いきった。

「そういう人は、普通に捜し回っても見つからないはずだよ」

「うっ！」

痛いところを突かれ、がっくりとうな垂れる。そんな私の頭を、長谷川係長は優しく撫でてくれた。

「永野さん、大丈夫。人という生き物はね、悪いことができないようになっているんだよ」

目は細められているのに、なぜかゾッとするほどの迫力がある。暗黒微笑と言えばいいのか。そんな笑みを浮かべて長谷川係長は言いきる。

この人が味方で本当によかったと、心から思った。

「因果応報、身から出た錆（さび）、自業自得。そんな言葉が数々あるようにね。たとえ人にバレずに悪行を完遂したとしても、神様は許してくれない」

長谷川係長の言う通り、悪行は死ねば払拭されるわけではない。悪行のすべては閻（えん）魔（ま）様を通じて把握され、最終的に裁きを受けるのだろう。

「悪いことを目論（もくろ）めば、邪気となって残る。こんなふうにね」

長谷川係長はチラシに触れる。すると、黒い靄がじわりと浮かんできた。糸のように細長い邪気は、外のほうへと繋がっている。

「これは、もしかして、骨董商に繋がっているのでしょうか？」

「だろうね」

私ですら目視できないレベルの邪気を、長谷川係長の力によって具現化したらしい。

「永野さん、桃谷も呼んでくれる？　もしも相手が呪禁師だったら、こちらの攻撃は効果がない可能性もあるから」

「ジュゴン師、ですか？」

頭の中に海に棲むジュゴンが浮かんだが、そうではないと突っ込まれた。

「呪禁師は呪禁と呼ばれる呪術を操る呪いのエキスパートだよ。昔は、陰陽寮に所属していて、病気の治療や呪殺などを行っていたらしい」

「病気の治療と呪殺なんて、両極端ですね」

長谷川係長は、呪禁師について教えてくれる。

あの有名な、虫同士を共食いさせて残った一匹を使って人を呪う『蠱毒』や、藁人形に釘を打って人を呪う『魘魅』、飢餓状態の犬を使った呪い『犬神』なども呪禁だという。あまりの禍々しさに異を唱える者達が続出し、呪禁師の存在は日陰へ追いやられてしまったらしい。

その後、呪禁師の仕事は陰陽師が担うようになったと。

「呪禁を専門的に扱う者は、陰陽師に比べてずっと少ない。けれど、いないとはいえない」

一応、警戒しておいたほうがいいと言う。

三十分後――桃谷君がやってきた。笑顔で迎える長谷川係長を見て、仰天する。

「うわあ、長谷川係長、なんでここに!?」

「君達の調査に、協力しようと思って」

「最悪。記憶、いつの間にか戻っているじゃないですか！」

「永野さんのおかげでね」

「永野先輩、何をしたんですか？」

長谷川係長にキスをしたら記憶の封印が解かれた、なんて言えるわけがない。

「いや、永野先輩が自宅に呼ぶから、なんかおかしいなって思っていたんですよね」

ひとまず、桃谷君にも事情を説明する。

「なるほど、呪禁師ですか。可能性はありますね」

これから骨董商へと繋がる邪気を辿ることになった。ジョージ・ハンクス七世とマダム・エリザベスは、揃って準備運動をしている。戦う気は万全になりつつあるようだ。私は、使うかどうかわからないが、叔父から預かった媒体『マジカル・シューティングスター』を鞄に忍ばせている。

桃谷君は修繕した仕込み刀を持参していた。

「あーあ。せっかくの日曜日なのに、朝からタダ働きなんて」

「桃谷君、今、自動調理鍋でタンシチュー作っているから。終わったら、一緒に食べよう」

「よっしゃ。やる気湧きました！」

桃谷君が単純でよかったと、心から思った。

「じゃあ、行こうか」

長谷川係長はレンタカーを借りてくれたようで、車で邪気を辿っていく。

「いやー、長谷川係長が車を借りてくれてよかった」

「どうして？」

「いや、俺、犬と鳥と猿に、異常なまでに好かれるんですよ」

「そうなんだ。だから、後ろから鷹と鷲が揃って追いかけてきているんだ」

背後を見たら、本当に鷹と鷲が低空飛行していた。ずっとバックミラーに映っていたらしい。

「能天気そうに見えるけれど、いろいろ大変なんだね」

「まあ、鬼である長谷川係長よりは、大変じゃないと思います」

雰囲気が若干悪くなったので、昨日作ったお菓子を勧めてみた。

念のため、甘味祓いをかけてあるお菓子である。

「あの、カボチャあんのどら焼きを作ってみたんです。いかがですか？」

「わー、食べます！」

水筒に温かいお茶も持ってきている。桃谷君に渡したら、喜んで食べていた。

「俺は、あとでもらうよ」

「はい」

車内が和やかな雰囲気になったので、ホッと胸をなで下ろした。

糸のような邪気は、ある商店の前に繋がっていた。店の奥へと、続いている。

ここで間違いないようだ。

「リサイクルショップ・ヨシノ……？」

「骨董店ではないんですね」

長谷川係長がずんずんと店内へと入っていく。私と桃谷君もあとに続いた。

店内はそこまで広くない。家具、家電、おもちゃと、雑多な商品が並べられていた。骨董品みたいに、高い価値のある品は置いていないように思える。

「いらっしゃいませ」

店の奥から声が聞こえた。出てきたのは、Tシャツにジーパン姿の、人が好さそうに見える中年男性である。しかしながら、その顔には見覚えがあった。

「あ、あの人、浅草秋季骨董市で水晶短剣を売っていたおじさん！」

「げっ！」

おじさんは逃げようとしたが――。

『逃がすかよ！』

ジョージ・ハンクス七世とマダム・エリザベスが鞄から飛び出して、おじさんに向かって跳び蹴りをしていた。

『チェスト!!』

「どわー!!」

式神ハムスター二体に攻撃され、おじさんは倒れこんでしまう。それでも床を這いつくばって逃げようとしたが、最終的に長谷川係長に首根っこを掴まれた。

「あの、すみません、骨董市で買った水晶短剣について、詳しく聞きたいのですが。

大変な事態になりましてね。どう、落とし前を付けてくれるのか」

長谷川係長の言葉に、桃谷君が付け加える。

「あと、盗んだ青花の皿についても、教えてくれますかー？」

「あ、あれは――し、ししし、知ら」

「何やて？」

ドスの利いた長谷川係長の言葉を浴びせかけられたおじさんは、明らかに顔色が悪くなる。

桃谷君も初めて聞いたようで、驚いているようだった。

「言い方怖っ。長谷川係長の本職、ヤの付く自由業なんですか？」

「長谷川係長の本職は会社員で、うちの課の係長でしょう？」

「あー、そうでしたね」

おじさんは観念したようで、ぐったりとうな垂れる。長谷川係長が掴んでいたTシャツの襟元は、一回り大きく広がっているような気がした。

「水晶短剣は、十数年前にドイツに行ったときに蚤の市で購入した土産だったんだ。まさか、本物だとは思わず……すまなかった」

ちなみに、百円くらいの値段で購入した品らしい。売っている人も品物が本物の水晶で、悪魔祓いの効果があるとは思ってもいなかったのだろう。

「青花の皿については、その、ご先祖様が夢枕に立って、回収してこいって聞かなくって……」

「ご先祖様⁉」

青花の皿を斉藤さんのお祖母様に渡したのは、吉野忠史という青年。

そういえば、ここの店名は『リサイクルショップ・ヨシノ』だった。

吉野家は占い師の一族だと聞いていたが、まさかここと繋がっていたとは。

「あの、もしかして、呪禁師の一族だったりします？」

「呪禁師？　ああ、そんな話を、曾祖父（ひいじい）さんから聞いたことがあったような、なかったような……」

やはり、長谷川係長の推測通り呪禁師の仕業だったようだ。

なんでも吉野忠史というのは、おじさんのお祖父さんの弟だったらしい。戦争に行き、そのまま帰らぬ人となってしまった。その彼がおじさんの夢枕に立ち、かつての恋人に贈った青花の皿を回収してこいと命令したようだ。

「最初は無視していたんだが、だんだんと耳鳴りが酷くなって……」

耐えられなくなった結果、教えてもらった斉藤家の郵便受けに解呪を承るというチラシを直接入れたという。

「おじさん、それだけじゃなくて、余罪もあるんでしょう？」

「ううう……！」

長谷川係長に脅されつつ、他の犯行を口にする。

斉藤家での盗難があっさり成功し、味を占めてしまったようだ。他の家にもチラシを配り、呪われているという骨董品を盗んで回っていたらしい。

呪われた品々は、そのまま骨董市で売り払っていたのだとか。

「呪いの品を惜しむ人なんていない。その点に目を付けた犯行、か」

「それで、青花の皿はどこですか？」

「トイレだ」

「は？」

「トイレに封じてある」

先祖に言われた通り取り戻した青花の皿だったが、なんと、トイレに保管していた。

他に置く場所がなかったらしい。

実際に向かうと、トイレから邪気がジワジワと滲み出ていた。ドアにお札が貼ってある。ここは普段、使っていないトイレらしい。

ご先祖様の思い出の品をトイレに封じるなんて。罰当たりである。

ふと、気になった点があったので、疑問を投げかけてみた。

「こんなところに置いて、耳鳴り攻撃を受けなかったのですか？」

「ご先祖様を奉る祭壇に呪符を貼って、こちらに干渉できなくしていたんだ」

その後、自由の身となったおじさんは、ピンと閃（ひらめ）いた。

呪禁は金になる。その点に気づいたおじさんは猛勉強し、対策を身に付けていた。

「だから、斉藤さんの夢に出ていたわけですね……」

おじさんのもとにあるよりも、斉藤家にあったほうが丁重な扱いを受ける。だからといって、斉藤さんに悪夢をみせて苦しませるのはどうなのか。

「長谷川係長、どうしますー？　皿に取り憑いた兵士の男性、一応、怨霊として斬ることもできますけれど」

「いや、止めたほうがいい」

長谷川係長はトイレに貼ってあったお札をベリッと豪快に剝いだ。邪気が強風のように押し寄せる。

「うっ、なんだこの、嫌な感じは!?」

「邪気！　桃谷君、なるべく息をしないで」

「そんな無茶なこと言われても！」

視界が真っ暗になるほどの邪気に襲われる。そんな中で、長谷川係長は思い切った行動に出た。これまでトイレに置かれていた青花の皿を手に取ったのだ。その上に、私が作ったカボチャあんのどら焼きを置いた。

すると、邪気が収まっていく。

「あ、永野先輩の甘味祓い？」

きれいさっぱり、青花の皿の邪気を祓ってしまったようだ。

まさか、私の甘味祓いがここで役に立つとは思いもしなかった。


吉野のおじさんは罪を認め、警察に自首した。罪は洗いざらい白状すると約束し、パトカーへ乗り込んでいく。その後ろ姿を、見送った。

そのまま、レンタカーで斉藤家に向かう。邪気が祓われた青花の皿は、斉藤さんの家に戻った。もう夢の中に日本兵の男性――吉野忠史が出てくることはないが、怖かったら知り合いの住職に預けてほしい。

そう助言したが、斉藤さんは呪いがなくなったのならば、家で大事に保管するという。めでたしめでたし、と言ってもいいだろう。

「──いや、永野先輩、まったくめでたしじゃないですよ！　長谷川係長の記憶が戻って、辛辣さがアップしました。これまでの、きれいな長谷川係長を返して！」

「桃谷君、言うようになったね」

「言いたくもなりますよ！」

ギャアギャアと騒ぎながら、家路に就く。行きも帰りも、テンションは変わらない。包み隠さずいろいろ言えるのも、仲がいい証拠だ。今は、そういうふうに捉えておく。

ぼんやりと景色を眺めていると、街路樹の葉っぱがすべて落ちていることに気づいた。空も秋晴れの日々から打って変わり、曇天が続くようになっている。

冬が訪れようとしているのだろう。今年はこたつを買って、ぬくぬく過ごそうか。長谷川係長を招いて、こたつで鍋をするのもいいかもしれない。オシャレな叔母のマンションのどこに、こたつを設置しようか。腕を組み、考え込んでしまった。

そんなささやかな悩みしかないことを、幸せに思う。

番外編

現代の大鬼、記憶を失う

長谷川正臣――都内の会社に勤める、どこにでもいる会社員である。

今時、若くして係長に収まるのも珍しい話ではない。時代は年功序列から、実力主義になりつつあるのだ。

そんな彼の、少し変わった状況といえば、自宅マンションの隣に部下が住んでいること。

永野遥香――二十代半ばの、女子社員である。

叔母の所有するマンションを管理するという名目で、ひとりで暮らしているらしい。

いくら隣の部屋で生活しているからといって、長谷川は親しい付き合いをするつもりはなかった。

彼女もまた同じスタンスのようで、つかず離れずの近所付き合いをしていた。

そんな関係に変化が訪れたのは、長谷川が風邪を引いて、高熱のために倒れた日からか。

彼女は倒れる長谷川を発見し、朝まで看病してくれた。

ただの隣人ならまだしも、会社の上司なので面倒を見ないわけにはいかなかったのだろう。

何かお礼を――そう思って何がいいかと尋ねたが、彼女は思いがけない願いを口にする。

なんと、長谷川の健康を願ったのだ。

こんなにも欲がなく、心の清らかな女性がいるのかと、長谷川の心は震えた。

それからというもの、長谷川は彼女のことを気にかけるようになった。

よくよく観察していると、性格も見えてくる。

呆れるくらいのお人好しで、他人を嫌うことなく、平等に接している。仕事も丁寧で、ある程度はなんでも任せられる部下だ。

そんな彼女に、お礼と称して菓子でも渡そうと通販で購入した。

しかしながら、届いたあと、わざわざ買ったと言えば気を遣うのではないかと思い至る。

どうしようかと考えた結果、実家から送られてきたことにした。

作戦は大成功。喜んで受け取ってくれた。

もっと彼女と話したい、一緒にいたいと思い、どうにか接点を作ろうと努力する。

いつの間にか長谷川は、好意を寄せるようになっていたのだ。

景色がきれいなレストランを予約し、あわよくば告白しよう。

そう思っていたのに、長谷川はあっけなく振られてしまう。

けれど、諦めるつもりは毛頭なかった。

絶対に、振り向かせてみせる。

そう思っていたら、彼女は口にした。

長谷川と同じように、好意を抱いていると。

彼女の唇に触れた瞬間、胸の閊えがおり、失っていた記憶を取り戻した。

どうやら、海外の悪魔祓いの道具によって、記憶を封じられていたらしい。

遥香はそれに気づいていて、鬼ではない人生を歩むのであれば、同じ相手に恋をしなくてもいいだろうと思って断ったようだ。

だから、好きになってごめんなさいと言ったのだという。

脱力すると同時に、喜びがこみ上げる。

鬼ではない自分も、変わらずに愛してくれるとは。

長谷川は自身の中にある鬼の部分を、生まれて初めて受け入れた。

そうしたら、見える景色がいつもより鮮やかになったように思える。

記憶が戻ったあと、必死になって練習したオムライスをふるまった。
笑顔で頬ばる彼女を見つめ、これまでになく心が満たされているのを感じる。
今、遥香は隣にいて微笑んでいる。これ以上の幸せはないと、長谷川はしみじみ思ったのだった。

―本書のプロフィール―

本書は書き下ろしです。

小学館文庫

浅草ばけもの甘味祓い
～兼業陰陽師だけれど、鬼上司が記憶喪失に!?～

著者　江本マシメサ

二〇二一年五月十二日　初版第一刷発行
二〇二一年六月十三日　第二刷発行

発行人　飯田昌宏
発行所　株式会社 小学館
〒一〇一-八〇〇一
東京都千代田区一ツ橋二-三-一
電話　編集〇三-三二三〇-五六一六
　　　販売〇三-五二八一-三五五五
印刷所 ―――― 図書印刷株式会社

ISBN978-4-09-407018-7